HERÓI

HERÓI

Rhonda Byrne

Título original: *Hero*

Copyright © 2013 por Making Good LLC. THE SECRET e o logo The Secret são marcas registradas de propriedade da Creste LLC.

www.thesecret.tv

Todos os direitos reservados. Nenhuma parte deste livro pode ser utilizada ou reproduzida sob quaisquer meios existentes sem autorização por escrito dos editores.

As informações contidas neste livro têm um propósito educativo e não devem ser usadas para substituir o diagnóstico ou o tratamento de qualquer distúrbio de saúde. Também não substituem um planejamento financeiro responsável. Seu conteúdo deve ser usado como uma contribuição adicional a um programa prescrito por um profissional. O autor e a editora não se responsabilizam pelo uso indevido deste material.

Copyright da tradução © 2019 por GMT Editores Ltda.

Publicado mediante acordo com a editora original, Atria Books, uma divisão da Simon & Schuster, Inc.

tradução: Livia de Almeida

preparo de originais: Renata Dib

revisão: Flavia Midori e Sheila Louzada

conceito e direção de arte: Nic George para a Making Good LLC.

layout e design: Gozer Media P/L (Austrália), www.gozer.com.au, dirigida por Making Good LLC.

adaptação de capa e diagramação: Ana Paula Daudt Brandão e Gustavo Cardozo

impressão e acabamento: Pancrom Indústria Gráfica Ltda.

CIP-BRASIL. CATALOGAÇÃO NA PUBLICAÇÃO
SINDICATO NACIONAL DOS EDITORES DE LIVROS, RJ

B999h Byrne, Rhonda
     Herói/ Rhonda Byrne; tradução de Livia de Almeida. Rio de Janeiro: Sextante, 2019.
     240 p.: il.; 14 x 17,8 cm.

     Tradução de: Hero
     ISBN 978-85-431-0824-7

     1. Sucesso. 2. Autorrealização (Psicologia). I. Almeida, Livia de. II. Título.

19-58140   CDD: 158.1
                                                          CDU: 159.947

Todos os direitos reservados, no Brasil, por GMT Editores Ltda.
Rua Voluntários da Pátria, 45 – Gr. 1.404 – Botafogo
22270-000 – Rio de Janeiro – RJ
Tel.: (21) 2538-4100 – Fax: (21) 2286-9244
E-mail: atendimento@sextante.com.br
www.sextante.com.br

"Eis um teste para saber se a sua missão na Terra foi concluída. Se você está vivo, não foi."

Richard Bach
Ilusões

Dedicado a todos os heróis

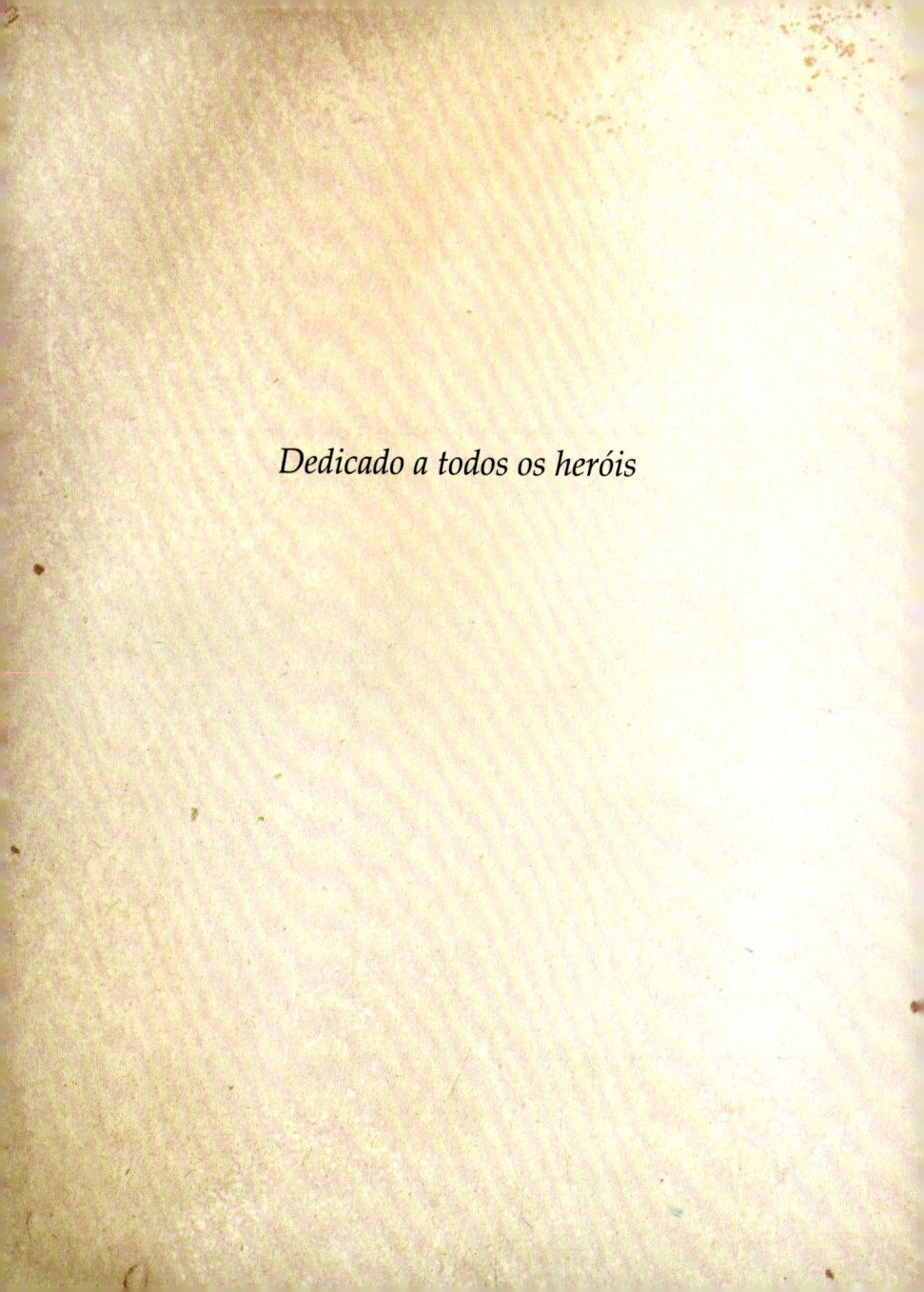

Agradecimentos

Cada novo projeto é uma jornada que começa com a semente de uma ideia e trilha seu caminho até ganhar a forma final. Amo a emoção da jornada, com as reviravoltas inesperadas, a empolgação e a alegria. Mas, acima de tudo, quando olho para trás, reconheço o número de seres humanos incríveis que foram vitais para a concretização deste projeto. A jornada de *Herói* foi uma alegria do começo ao fim, e eu gostaria de agradecer às pessoas extraordinárias que possibilitaram que você, leitor, tenha em mãos um livro tão especial.

Colaboradores do mundo inteiro compartilharam suas experiências para inspirar e iluminar o caminho de tantos outros; é uma imensa honra ter trabalhado com: Liz Murray, Peter Foyo, John Paul DeJoria, Anastasia Soare, Michael Acton Smith, Peter Burwash, Mastin Kipp, G. M. Rao, Pete Carroll, Laird Hamilton, Layne Beachley e Paul Orfalea. Agradeço a confiança depositada em mim, o precioso tempo que me cederam sem hesitar e o fato de perceberem o potencial de *Herói* quando ele ainda era apenas o embrião de uma ideia.

Aos maravilhosos assistentes dos colaboradores, agradeço por seu auxílio inestimável. Às pessoas incríveis que trabalham nas fundações e nos institutos de caridade dos colaboradores, obrigada por fazerem parte de *Herói*, permitindo que destacássemos seus maravilhosos trabalhos. Agradecimentos especiais a Mayra-Alejandra Garcia, Luca Carp, Bhuvana Chakravarthy, Jaime Davern, Megan McGrath e Tamara Azar.

Skye Byrne e Paul Harrington, da equipe de *O Segredo*, trabalharam junto comigo para criar a estrutura do livro, assumiram a enorme tarefa de compilar as palavras dos colaboradores e forneceram insights geniais. Também gostaria de agradecer a Skye pela compreensão e edição de meus escritos. *Herói* não seria o que é sem seu trabalho.

Glenda Bell, responsável pelo gerenciamento do projeto, reuniu os colaboradores, organizou as entrevistas e fez a intermediação com as fundações dos colaboradores. Andrea Kerr trabalhou diligentemente ao lado de Glenda para encontrar os colaboradores perfeitos para *Herói*. Obrigada!

Jan Child, que ficou encarregado da publicação de *O Segredo*: obrigada pelo incentivo, o entusiasmo e o trabalho incansável em *Herói* ao reunir editores, gráficas e web de todo o planeta, formando uma força criativa unida.

Nic George, diretor criativo de *O Segredo*: obrigada pelo projeto gráfico, pela arte original de *Herói* e por me inspirar a escrever um livro à altura do seu trabalho. Shamus Hoare e Anna Buys; obrigada pela dedicação e o talento de sempre.

Agradeço à minha fenomenal equipe da Atria Books e da Simon & Schuster pelo apoio aos meus livros, a *O Segredo* e a mim. Obrigada a Carolyn Reidy, Judith Curr, Dennis Eulau, Darlene DeLillo; obrigada à minha editora Sarah Branham, pela orientação, a Lisa Keim, Eileen Ahearn, Paul Olsewski,

Jim Thiel, Daniella Wexler, e aos revisores Isolde Sauer e Kimberly Goldstein.

À equipe de *O Segredo* – sou abençoada por trabalhar com vocês todos os dias: Donald Zyck, Lori Sharapov, Mark O'Connor, Josh Gold, minha assistente Jill Nielsen, Cori Johansing, Peter Byrne, Chye Lee e Marcy Koltun-Crilley.

Nossa equipe jurídica da Greenburg Glusker: Bonnie Eskenazi e Aaron Moss. Minha eterna gratidão a Brad Brian, de Munger Tolles. A Laura Reeve e ao time da Edelman, nossos representantes de relações públicas: muito obrigada.

Aos meus queridos amigos e à minha família, que apoiam e inspiram meu trabalho, e cuja presença em minha vida tanto aprecio. Muito obrigada. E aos meus pais maravilhosos – vocês foram os melhores.

À minha filha Hayley, que me ensina a fazer perguntas que transcendem o mundo material, e à sua mais perfeita criação, Savannah Byrne-Cronin. Por seu amor e apoio, Kevin "Kid" McKemy, a bela Oku Den, Paul Cronin e Angel Martin Velayos, pela contínua orientação espiritual e sabedoria.

Por fim, a ideia de *Herói* surgiu de um insight que tive certa noite, e por isso devo a minha mais profunda gratidão ao Universo e à Mente Universal por me inspirarem com um projeto tão especial e por me guiarem a cada passo da jornada de concretização desse projeto.

Sumário

Introdução	1

PARTE UM: O SONHO — 11

O Chamado da Aventura	13
A Recusa do Chamado	29
Em Busca do Sonho	43
Siga Sua Felicidade	53

PARTE DOIS: O HERÓI — 67

Fé	69
Visão	79
A Mente de um Herói	87
O Coração de um Herói	97
O Caminho do Herói	115
Compromisso	123

PARTE TRÊS: A BUSCA — 135

O Labirinto — 137

Opositores e Aliados — 145

A Estrada das Provações e dos Milagres — 157

A Provação Suprema — 173

PARTE QUATRO: A VITÓRIA — 183

A Recompensa — 185

Uma Vida Digna de Ser Vivida — 195

O Herói em Você — 207

Pessoas Retratadas em *Herói* — 214

Leituras Adicionais dos Colaboradores — 226

Introdução

Este livro trata de uma história. Uma história que mudou minha vida e que, ao longo do tempo, transformou a vida de muitas outras pessoas. Essa história é contada desde o início dos tempos. Apareceu sob diferentes formas em todas as culturas e em todos os países do mundo, mas sua essência permanece a mesma. Ela diz respeito a um herói que realiza uma corajosa jornada no planeta Terra.

O cenário é de uma beleza estonteante: repleto de mares, montanhas, florestas, litorais deslumbrantes, planícies infinitas, criaturas e animais espetaculares de todas as espécies. Junto com essa beleza encontra-se toda a alegria experimentada pelos seres humanos. No entanto, o herói descobre que a vida também é um desafio para os habitantes do planeta. É doloroso crescer, atravessar a infância, a adolescência, a vida adulta e, talvez, chegar à velhice. Todos passam por sofrimento físico, pobreza, luto e morte.

Alegria e sofrimento coexistem na Terra porque este é um mundo de dualidades – um mundo de opostos. Tudo tem o seu contrário. Há luz e escuridão, perto e longe, alto e baixo, esquerda e direita, quente e frio. Tais oposições são vistas em todas as áreas da vida. Há amigos e inimigos, segurança e incerteza, riqueza e pobreza, felicidade e desespero. E cada ser humano apresenta qualidades e defeitos. Tudo tem o seu oposto.

E foi esse mundo com potencial idêntico para alegrias, amores, desafios e sofrimentos que você desejou visitar. Foi você que desejou vir para cá e experimentar a aventura de viver em um lugar tão belo e desafiador. Foi você que determinou que não haveria dificuldade tão grande a ponto de impedi-lo de descobrir o herói que existe em seu interior. Foi você que decidiu realizar a Jornada do Herói... pois você é o herói desta história.

Você não parte para essa jornada sem estar bem equipado para enfrentá-la. Você nasceu com habilidades poderosas que o capacitariam a realizar seus sonhos e a superar cada obstáculo e desafio. Mas, ao nascer dentro das limitações materiais do planeta Terra, sua mente e sua consciência também se tornaram limitadas. Isso significa que você não se lembra da sua verdadeira natureza nem das poderosas habilidades que possui. Precisa fazer essa descoberta por conta própria.

Ao concluir a Jornada do Herói e permitir que suas maiores qualidades venham à tona, você enfim se transformará no herói. E um novo propósito tomará conta de seu coração: ajudar aqueles que estão no início da própria jornada, oferecendo todo o conhecimento que você acumulou ao longo do caminho.

As pessoas que você está prestes a conhecer já concluíram a Jornada do Herói. Elas vieram do mundo inteiro compartilhar histórias e experiências para ajudá-lo a iniciar a sua jornada.

Liz Murray, Estados Unidos

Com pais viciados em drogas, Liz Murray foi criada em Nova York, na pobreza. A mãe morreu quando Liz era adolescente; na mesma época, o pai foi para um abrigo e ela ficou sem ter onde morar. Liz não terminou os estudos. Dormia em vãos de escada e furtava alimentos para sobreviver, mas foi nessa época que nasceu dentro dela o sonho de frequentar a Universidade Harvard. Quatro anos depois, Liz realizou seu sonho. Ao contar sua história, ela se tornou uma autora de sucesso e uma das mais requisitadas palestrantes motivacionais do mundo.

G. M. Rao, Índia

G. M. Rao foi criado em um vilarejo sem eletricidade e sem telefone, onde os moradores precisavam fazer fila para receber sua cota de mantimentos. Apesar de ter sido reprovado no ensino fundamental, Rao queria ter o próprio negócio para, no futuro, se estabelecer e ter uma boa casa. Por sorte, também se manteve aberto às oportunidades que surgiram. Tudo começou com uma fábrica de processamento de juta. Rao expandiu gradualmente seus negócios e hoje é dono de um imenso império que inclui empresas de energia, de construção de aeroportos e rodovias e de desenvolvimento urbano.

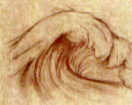

Laird Hamilton, Estados Unidos
Laird Hamilton nasceu em uma família desestruturada, no Havaí. Por sentir na pele a exclusão e a discriminação, logo percebeu que precisava amadurecer. Decidiu se afirmar como surfista e ir aonde ninguém havia ousado. Suas aventuras radicais dentro e fora d'água provocaram lesões sérias e ossos quebrados, sem falar das vezes que ficou perdido no mar. No entanto, Hamilton persistiu até realizar seu sonho de romper os limites do possível e se tornar um dos maiores surfistas de ondas gigantes do mundo.

Anastasia Soare, Romênia
Anastasia Soare e sua família fugiram do comunismo no auge da Guerra Fria, em busca de uma vida melhor. Ela chegou a Los Angeles sem dinheiro e sem saber falar uma palavra de inglês. Trabalhava 14 horas por dia num salão de beleza. Quando percebeu que nada mudaria em sua vida se não tomasse uma iniciativa,

decidiu abrir o próprio negócio – em Beverly Hills. O sucesso foi instantâneo, graças a seu método original para o design de sobrancelhas. Com o passar dos anos, Anastasia criou um império de dimensões globais.

PAUL ORFALEA, ESTADOS UNIDOS

Paul Orfalea teve muitas dificuldades durante a vida escolar por conta de uma dislexia severa e do transtorno do déficit de atenção com hiperatividade. Apesar de praticamente não conseguir ler, Paul tinha a ambição de construir uma empresa maior do que a IBM. Para superar a dificuldade com a leitura, ele desenvolveu um aguçado senso de observação. Certo dia, enquanto esperava numa fila, essa habilidade permitiu que Paul identificasse uma necessidade do mercado: máquinas de impressão e fotocópias baratas. A Kinko's nasceu dessa ideia e acabou se tornando uma empresa de 1 bilhão de dólares.

PETER BURWASH, CANADÁ

Peter Burwash era um jovem jogador de hóquei quando sofreu uma fortíssima colisão que o deixou caído no gelo com a parte inferior do corpo paralisada. Naquele momento, ele prometeu que, se conseguisse se recuperar, desistiria do hóquei. Quando foi capaz de se levantar, uma hora depois do acidente, manteve-se fiel à promessa: juntou seus pertences, abandonou o hóquei e decidiu se tornar jogador de tênis profissional.

Embora nunca tenha chegado ao topo do ranking, tornou-se um dos mais respeitados treinadores de todos os tempos e ergueu a maior empresa de treinamento de tênis do mundo.

MASTIN KIPP, Estados Unidos

Mastin Kipp tinha o mundo aos seus pés. Era um dos mais jovens executivos em ascensão na cena musical de Los Angeles. Mas o consumo excessivo de álcool e drogas acabou provocando um grande impacto na sua vida: Mastin foi demitido. Ele perdeu tudo do ponto de vista material, mas ganhou sabedoria. Decidiu se reinventar e desde então é escritor e blogueiro, inspirando os leitores de seu site, newsletter e Twitter, o *Daily Love* (Amor diário), cuja popularidade é crescente.

PETE CARROLL, Estados Unidos

Pete Carroll tinha apenas um sonho: praticar esporte e ter uma carreira profissional como jogador. Isso ficou para trás quando ele não conseguiu entrar para a Liga de Futebol Americano, a NFL. Pete ficou sem saber que rumo tomar até que percebeu que seu sonho ainda poderia ser realizado, mas de uma forma diferente da que havia imaginado. Começou a atuar como técnico e, apesar de ter uma jornada profissional cheia de altos e baixos, transformou-se em um dos treinadores mais inspiradores do futebol americano. Recentemente, recebeu o prêmio de Treinador do Ano da Conferência

Nacional de Futebol Americano (NFC) por seu desempenho com os Seattle Seahawks.

Michael Acton Smith, Inglaterra

Após obter um diploma universitário, Michael Acton Smith descobriu que não se encaixava nos critérios exigidos por nenhum emprego. Então decidiu montar o próprio negócio. Sem condições de obter financiamento bancário, pegou 1.000 libras emprestadas com a mãe. Depois de diversos fracassos, chegou à beira da falência. Entretanto, estava convencido de que seu último projeto tinha um grande potencial. E não estava enganado: o jogo Moshi Monsters se tornou uma febre na Inglaterra e depois virou um fenômeno global de entretenimento infantil.

Layne Beachley, Austrália

Com apenas 7 anos, Layne Beachley perdeu a mãe de forma trágica. Pouco depois, descobriu ter sido adotada ainda bebê. Ela lidou com os sentimentos de perda e abandono estabelecendo um objetivo que provaria seu valor para o mundo: tornar-se campeã mundial de surfe. Layne atingiu sua meta, conquistando o título não apenas uma, mas sete vezes, e tornando-se a melhor surfista mulher do mundo.

John Paul DeJoria, Estados Unidos

Quando crianças, John Paul DeJoria e o irmão passaram quatro anos e meio em lares temporários, pois a mãe doente não conseguia trabalhar e cuidar deles. Acabaram ingressando numa gangue no leste de Los Angeles. Um professor do ensino médio chegou a dizer que John Paul nunca seria alguém na vida. Quando estava com 20 e poucos anos, ele e o filhinho moravam em um carro. John Paul catava garrafas para sobreviver, e parecia que a previsão do professor se concretizara. Mas ele estava determinado a tomar uma atitude. Após três demissões, associou-se a Paul Mitchell e, com apenas 700 dólares, os dois abriram um negócio: a empresa de produtos para cabelo John Paul Mitchell Systems, que viria a faturar mais de 1 bilhão de dólares por ano.

Peter Foyo, Estados Unidos

Peter Foyo é filho de imigrantes nos Estados Unidos, habituados ao trabalho duro. Quando criança, sonhava com um futuro tecnológico baseado na energia solar e imaginava que os telefones seriam portáteis. Mais velho, sonhava ter um negócio tão grande e bem-sucedido que o tornaria o melhor executivo da América Latina. Qualquer um poderia dizer que ele tinha sonhos impossíveis, mas Peter conquistou seu objetivo ao se tornar presidente da empresa de telecomunicações Nextel México com apenas 33 anos.

Quanto a mim, nasci numa humilde família de classe operária, na Austrália. Não tive nenhuma grande aspiração na infância porque não acreditava que sonhos grandes poderiam se realizar. Mas, em 2004, minha vida mudou para sempre ao descobrir um segredo, e um sonho imenso se apossou de mim: dividir esse segredo com o resto do mundo. Em 2006, lancei *O Segredo* nos cinemas e nas livrarias. Foi um sucesso estrondoso no mundo inteiro, alcançando dezenas de milhões de pessoas.

Se você é como eu era e nunca se permitiu ter grandes sonhos por não acreditar que eles poderiam se concretizar, saiba que, na jornada que está prestes a começar, você descobrirá tudo de que precisa para que seus sonhos, por mais impossíveis que pareçam, se tornem realidade.

Esta é a sua história. Este é o seu propósito. É por este motivo que você se encontra no planeta Terra: para realizar esta Jornada e descobrir o Herói que existe dentro de você. Com a sabedoria de valor inestimável que lhe será transmitida neste livro, e armado com poderosas habilidades, você será capaz de realizar seu sonho e encontrar a felicidade duradoura que todos nós tanto procuramos. Não importa onde você está, não importa a sua idade; nunca é tarde para ir atrás do seu sonho.

Parte Um
O Sonho

O Chamado da Aventura

Contra Tudo e Contra Todos

Ninguém nasce com uma vida perfeita. Se nascesse, não haveria necessidade de se esforçar para conquistar o que deseja nem de criar algo diferente. Não existiriam os sonhos. Não importam as circunstâncias do seu nascimento, nem a família que teve, nem a educação que recebeu ou não: você veio ao mundo para realizar seus sonhos e, independentemente de onde se encontra neste exato momento, você dispõe de todas as condições para concretizá-los.

ANASTASIA SOARE
FUNDADORA DA ANASTASIA BEVERLY HILLS

Comecei do nada. Do nada mesmo. Não tínhamos dinheiro. Eu não falava a língua local. Não tinha ideia de como funcionava um país ocidental: a mentalidade, o sistema financeiro. Nem sabia preencher um cheque, porque não tínhamos nada parecido na Romênia. Literalmente, comecei aprendendo o bê-á-bá.

PAUL ORFALEA
FUNDADOR DA KINKO'S

Poucas crianças são reprovadas no segundo ano do fundamental, mas eu fui uma delas. Não conseguia aprender o alfabeto. Não conseguia ler. Estava sempre arranjando problema. Eu era muito impulsivo, não conseguia me controlar. Por fim, aos 16 anos, acabei sendo expulso da escola quando cursava o ensino médio.

Quanto mais difíceis são as circunstâncias da nossa vida e quando tudo parece estar contra nós, essas circunstâncias com frequência se transformam em catalisadores que nos impulsionam rumo aos nossos sonhos.

PETER FOYO
PRESIDENTE DA NEXTEL MÉXICO

Meus pais emigraram para os Estados Unidos. Começamos do nada. Lembro que minha calça batia acima do joelho porque eu cresci e não tinha dinheiro para comprar uma nova. Papai era general em nosso país e, quando chegou aos Estados Unidos, acabou como limpador de chaminés.

Laird Hamilton
surfista de ondas grandes

Cresci num ambiente de tensão racial em que as pessoas me odiavam por eu ter nascido como eu era.

"Tive todas as desvantagens necessárias para o sucesso."

Larry Ellison
Cofundador da Oracle Corporation

John Paul DeJoria
cofundador da john paul mitchell systems

Eu estava com 23 anos, e meu filho, 2 anos e meio. Havíamos sido abandonados pela minha mulher. Devíamos três meses de aluguel e acabamos sendo despejados. Passamos a dormir no carro. Sobrevivemos da venda de garrafas de refrigerante que catávamos pelas ruas.

Diante de tais circunstâncias no início da vida adulta, seria difícil crer que John Paul DeJoria pudesse fundar uma empresa tão bem-sucedida quanto a John Paul Mitchell Systems, especializada em produtos para o cabelo. John Paul criou para si uma vida irreconhecível em comparação àquela que vivia nos primeiros anos, e conseguiu isso usando qualidades de que você dispõe dentro de si neste exato momento.

G. M. Rao
Engenheiro mecânico, fundador do Grupo GMR

Comecei do zero. Minha aldeia era pequena, com apenas 5 mil habitantes. Não havia telefone nem eletricidade. Tínhamos apenas uma garrafa de água que minha família compartilhava. Precisávamos fazer fila para receber a cota de açúcar e leite para o mês inteiro.

Não importa se você nasceu na Índia, na Austrália, nos Estados Unidos, na França ou em Cingapura: as circunstâncias do começo da sua existência não ditam que tipo de vida você levará. Você tem todas as qualidades e virtudes para realizar suas aspirações. Dispõe daquilo de que precisa dentro de si para ser ou fazer o que quiser, mesmo quando tudo indica o contrário.

Pete Carroll
Treinador de futebol americano, Seattle Seahawks

Quando parei de jogar na faculdade, fiz testes para um time da NFL e depois para um da Liga Mundial. Na última vez que fui cortado, fiquei em choque. Não sabia o que fazer, pois até então só contemplava a possibilidade de jogar futebol americano. De repente precisei enfrentar a pergunta: e agora?

Após sofrer uma lesão irreparável durante uma partida de hóquei no gelo, Peter Burwash começou a fazer turnê no circuito de tênis profissional, mesmo sem ter destaque no ranking e sem um histórico de sucesso nas competições. Sem dinheiro, sobrevivia à base de manteiga de amendoim e pão dormido, que cortava em pedaços para que durassem cinco dias. Depois de sete anos, Peter foi obrigado a se aposentar e, mais uma vez, deparou com uma situação em que as chances de sucesso pareciam mínimas ou até nulas.

Peter Burwash
Treinador de tênis, fundador da Peter Burwash International

Quando chegou a hora de criar nossa empresa de treinamento de tênis, já existiam outras 16 fazendo a mesma coisa. Eu tinha menos dinheiro, menos aporte financeiro e menos credibilidade no esporte. Não tínhamos nem onde sentar no escritório, por isso, nos primeiros anos, nossas reuniões eram no chão.

Não são as condições do mundo exterior que determinam se seus sonhos serão realizados ou não. Não é o dinheiro guardado, o grau de escolaridade, os relacionamentos nem mesmo suas experiências. O que importa é descobrir as habilidades que você tem dentro de si e saber usá-las para superar todo e qualquer obstáculo encontrado no mundo exterior. É o que toda pessoa bem-sucedida faz e é o que você também pode fazer.

Michael Acton Smith
FUNDADOR DA MIND CANDY
Eu e meu amigo de faculdade Tom decidimos abrir um negócio juntos. Não tínhamos muito dinheiro. Na verdade, tínhamos dívidas. Arranjamos a grana para abrir a empresa depois que vimos um anúncio no jornal convidando pessoas a basicamente vender o corpo para a medicina ao se candidatarem para testar um novo medicamento contra a enxaqueca. Fizemos isso e cada um ganhou 400 libras. Minha mãe ficou horrorizada. Acho que essa foi uma das razões pelas quais ela nos deu tanto apoio. Deu 1.000 libras para cada um, e os pais de Tom nos deixaram usar o sótão.

Há 10 anos minha vida ia bem. Eu trilhava uma carreira de sucesso na televisão até que, de repente, passei por uma série de problemas. Em poucos meses, senti que o mundo inteiro desabara à minha volta. Fiquei desesperada, mas foi exatamente nesse momento que descobri um segredo que acabaria se tornando um filme e que daria origem ao meu primeiro livro. Quando toda uma existência parece arrasada pelas chamas, das cinzas surge uma nova vida.

Mastin Kipp
AUTOR DE MENSAGENS INSPIRADORAS E FUNDADOR DO SITE *THE DAILY LOVE*
Quando cheguei a Hollywood, queria ser agente musical. Não funcionou muito bem – Hollywood não é conhecida

por ser o mais acolhedor dos ambientes. Comecei a abusar das drogas e do álcool e cheguei ao fundo do poço. Meus investidores retiraram o apoio, meu sócio rompeu nosso negócio e meu colega de quarto me deu um prazo de três dias para eu ir embora, tudo na mesma semana. Desenvolvi gota no pé e dei um jeito na lombar. A garota que eu namorava terminou comigo. Minha vida desmoronou em uma semana. Foi o início de uma jornada muito longa e dolorosa que fico feliz por ter atravessado, mas que não desejo repetir. Na época, eu me sentia no olho do furacão. Então percebi: e se fosse uma tempestade divina?

LIZ MURRAY
AUTORA E PALESTRANTE FORMADA EM HARVARD

Passei por um período em que eu tinha coisas e então, de repente, não tinha mais nada. Perdi minha mãe, estava afastada do meu pai, que morava em um abrigo, e meu tio – o maior anjo da minha vida – faleceu subitamente. Acabei sem ter onde morar. Tudo que sempre tinha estado ali de repente não estava mais. Lembro-me de sentir que, se a vida podia mudar tanto para pior, talvez pudesse mudar para melhor, porque com toda a certeza podia mudar muito depressa.

As circunstâncias da vida podem ser muito duras, como no caso de Liz Murray, mas foram justamente as dificuldades que criaram nela um desejo ardente que a tiraria das ruas de Nova York e a levaria para Harvard. Quando encontrar esse desejo ardente de ser ou de fazer algo, você descobrirá uma força poderosa e será capaz de superar situações e limites aparentemente intransponíveis.

Ao realizar seus sonhos, você descobrirá a grandeza que existe em você. Grandeza não é nascer em berço de ouro. É seguir os sonhos e encontrar o herói que existe dentro de você.

Seu Chamado

Todas as pessoas na face da Terra e aquelas que ainda vão nascer são dotadas de algum talento ou habilidade singular. Seu chamado é essa característica que você tem de especial. Embora nenhum ser humano seja desprovido dessas qualidades, muitos passam a vida sem descobri-las ou sem cumprir seu chamado.

Seu chamado mexe com você como nenhuma outra coisa. É algo que exerce atração, que provoca paixão. É aquilo que o enche de alegria e faz seu coração bater mais depressa.

Seu chamado específico pode ser um desejo ardente de realizar algo no mundo dos negócios, no esporte, no seu trabalho ou em sua carreira. Talvez tenha relação com um hobby. Um hobby pode ser uma pista para o chamado, pois é algo que você faz por paixão, algo que arranja tempo para fazer. Os hobbies de muita gente se transformaram em grandes sonhos, que deram origem a grandes negócios.

Michael Acton Smith
Desde pequeno, sempre gostei de jogos. Adorava jogar. Acho que a diversão é uma parte muito importante do ser humano. Então meu grande sonho sempre foi ter uma empresa no ramo, projetar jogos e entreter as pessoas.

Pete Carroll
Apesar de eu ter atuado como treinador desde os 13 anos em colônias de férias e coisas do gênero, nunca me ocorreu que isso pudesse ser algo com que eu ganharia a vida. Quando fiz pós-graduação, fui um dos treinadores do time da Universidade do Pacífico. Foi aí que pensei: "Bom, isso é algo que eu poderia fazer e que é parecido com jogar futebol." E assim dei meu primeiro passo para me tornar um treinador.

Seu chamado pode aparecer em seus devaneios como algo que você queria ser ou fazer, mas que julgou fora do seu alcance. Porém, quando pensa nessa atividade e em viver esse tipo de vida, você se sente tomado por um incrível sentimento de felicidade e de realização. Por mais impossível que o sonho possa parecer, você está sendo chamado a segui-lo.

Liz Murray
Eu dormia na entrada de um prédio em Nova York. Furtava biscoitos e me deitava usando a mochila como travesseiro. Dentro dela estava tudo que eu possuía: meu diário, minhas roupas e o retrato da minha mãe que eu levava para toda parte. Com a cabeça apoiada na mochila, dormindo naquele

> lugar, eu sonhava com uma vida melhor. E dentro de
> mim eu tinha a intensa sensação de que estava destinada
> a transcender qualquer coisa, não apenas pelo propósito
> de ter uma vida melhor, mas para tornar melhor a vida de
> outras pessoas.

Você pode até não se lembrar, mas já recebeu o chamado diversas vezes na vida. Talvez ainda na infância, quando tinha certeza absoluta do que queria ser quando crescesse. Então a sociedade, os pais ou professores bem-intencionados o influenciaram a escolher entre opções limitadas do que podia ou não fazer, por isso acabou calando o chamado e seus sonhos.

PETER FOYO
> *Desde bem pequeno, eu tinha grandes sonhos. Muito antes do advento do celular, eu imaginava como seria incrível ter nas mãos um telefone sem nenhum tipo de fio. Não seria espantoso se eu pudesse passar um cartão na bomba de gasolina e encher o tanque sozinho? Não seria maravilhoso se pudéssemos explorar a energia solar? Tive uma visão de abrir uma empresa, ganhar muito dinheiro e ser o melhor executivo da América Latina.*

Você pode ter recebido o chamado num momento que parecia igual a todos os outros, por meio de algo que você viu, leu ou ouviu. De repente, parece que um raio o atingiu e aquele momento tão corriqueiro se transforma em algo decisivo na sua vida.

G. M. Rao
Minha professora de matemática na escola dizia que a vida tem um propósito e que devemos nos esforçar para encontrá-lo, pois essa seria uma conquista real. Aquilo instaurou em mim o desejo ardente de descobrir meu chamado e trabalhar para realizá-lo.

Laird Hamilton
Meu pai deixou minha mãe quando eu era muito novo e precisei agir como um homenzinho desde cedo. Fui obrigado a tomar uma decisão realmente consciente de querer ser alguém.

A partir de circunstâncias desafiadoras, Laird Hamilton viu crescer em si o desejo de fazer algo significativo com sua vida. Ele ouviu o chamado, respondeu a ele e, ao realizar o sonho de se tornar um dos maiores surfistas de ondas grandes de todos os tempos, inspirou milhões de pessoas em todo o planeta.

Para Layne Beachley, o chamado também veio em meio a uma situação muito desafiadora na infância. Com apenas 7 anos, a mãe morreu subitamente. Então, Layne descobriu ter sido adotada. Sua mãe biológica tinha apenas 17 anos quando sofreu um estupro e engravidou.

Layne sentiu o mundo desabar. Mas foi o evento crítico da morte da mãe que impeliu a australiana a se tornar uma das maiores atletas do mundo.

Layne Beachley
heptacampeã mundial de surfe
O que me levou a vencer o campeonato foi ter descoberto que era adotada. Antes do surfe, meu sonho era ser campeã mundial em alguma coisa. Eu simplesmente tinha que ser a melhor do mundo. Sentia essa necessidade de provar meu valor.

Paul Orfalea
Nunca duvidei do que eu queria fazer da vida. Queria ter meu próprio negócio. Podia ser qualquer coisa. Eu olhava para o prédio da IBM e pensava: "Quero ser dono de algo maior do que isso."

Por conta do TDAH e da dislexia, Paul Orfalea não conseguia ler nem escrever, mas, mesmo assim, veja o que fez com sua vida. Criou a Kinko's, uma empresa multibilionária que emprega milhares de pessoas. No mundo de dualidades em que vivemos, cada desvantagem contém seu oposto, ou seja, uma vantagem. Paul transformou as desvantagens em vantagens.

Anastasia Soare sonhava escapar da Romênia comunista. Por quase três anos, planejou e aguardou o momento para fugir com a filha. A decisão envolveu altos riscos, e, quando finalmente chegou aos Estados Unidos, ela precisou tomar outra enorme decisão. Anastasia trabalhava 14 horas por dia para sustentar a família e, a menos que fizesse algo diferente, esse seria seu destino.

Anastasia Soare

Eu tinha que fazer alguma coisa para descobrir minha identidade e provar meu valor. Era assustador. Então pensei: "Foi por isso que vim para este país. Esta é a terra das oportunidades. Preciso fazer isso, caso contrário, por que vim para cá? Para ter uma vida pior do que na Romênia?"

As circunstâncias difíceis de sua vida na Romênia deram a Anastasia uma força de caráter especial e uma determinação que a levaria a superar todos os obstáculos. Ela realizou o sonho de ter o próprio negócio, que se transformou em um império com mais de 1.000 pontos de venda nos Estados Unidos e mais de 600 no resto do mundo, além de salões em inúmeros países.

Na vida, nenhuma circunstância é 100% negativa. Toda circunstância negativa carrega também seu oposto, de forma que existe algo de positivo escondido dentro de todas as situações aparentemente ruins. A vida não se trata dos acontecimentos desfavoráveis, e sim do que se faz com as oportunidades de ouro que eles escondem!

Não se recebe o chamado para seguir um sonho a menos que existam múltiplas formas de realizá-lo. É absolutamente impossível uma pessoa ter um sonho sem ser capaz de, no mínimo, concretizar sua essência. Seus sonhos o chamam para a melhor vida possível, chamam para que descubra o herói que existe dentro de você.

Mastin Kipp

Cresci num ambiente relativamente tranquilo. Meus pais eram incríveis, e isso contribuiu muito para me proteger da dor do mundo. Quando comecei a sair da bolha e a enxergar a dor nos outros, percebi que era capaz de fazer mais. Para mim, ficou claro que não havia outra coisa que eu pudesse fazer com minha vida. Meu desejo é combinar a cultura pop com inspiração e sabedoria para atingir o maior número de pessoas possível.

Se você ouvir o chamado e não responder por ter medo demais ou por não acreditar no sucesso, às vezes as circunstâncias o empurrarão rumo ao seu sonho, como aconteceu comigo.

Eu trabalhava como produtora numa emissora de televisão e sonhava em montar uma empresa do ramo. Nunca teria tomado a iniciativa, já que tinha família para sustentar, ganhava um bom salário e precisávamos do dinheiro para comer e manter uma casa. Agarrei-me à segurança do emprego com todas as forças, embora muita gente insistisse para que eu começasse minha própria produtora.

Então fui demitida. Fiquei em choque. Como iríamos nos alimentar? Como investiríamos na educação das nossas filhas? Como pagaríamos as prestações da casa?

Uma opção era arranjar um emprego em outra rede de televisão. Mas eu não conseguia suportar a ideia de voltar ao que fazia.

Percebi que, depois da demissão, eu não tinha nada a perder. Então comecei a pensar em ideias para programas de televisão em uma mesa de plástico, sentada em cadeiras de plástico, no quarto dos fundos de nossa casa. Desenvolvi uma ideia e criei argumentos de venda para um programa, embora não tivesse a mínima ideia de como fazê-lo. Mas eu acreditava na ideia, e assim, com o coração na boca e as pernas trêmulas, apresentei o projeto aos executivos de uma rede de televisão. O programa foi contratado na hora e se tornou uma série com uma longa carreira.

Ao ser demitida, recebi as circunstâncias perfeitas para, por fim, atender ao chamado e viver meu sonho. Sou grata até hoje à emissora que me dispensou. Sem ela, eu teria recusado o chamado e deixado de viver a jornada mais empolgante e compensadora da minha existência.

A RECUSA DO CHAMADO

A Recusa do Chamado

LAIRD HAMILTON
O risco que se assume ao não correr atrás dos sonhos é fatal. É o fim. É uma vida sem realização, é uma vida sem conquistas, sem contentamento, sem alegria. É a infelicidade.

Ao recusar o chamado da vida para seguir seus sonhos, você corre o risco de levar uma existência infeliz e incompleta. Não importa o que faça, não importam os bens adquiridos pelo caminho, se você não realizar o que seu coração pede, terá uma sensação opressora de insatisfação e pesar ao chegar ao fim da vida. Não deixe que essa seja a sua história. Não importa sua idade neste momento, você tem um caminho maior pela frente! Pode parecer um risco seguir os sonhos, mas deixar de viver a vida não seria o maior risco de todos?

Michael Acton Smith
O maior fracasso é nunca dar uma chance aos sonhos.

G. M. Rao
Quando se deixa de seguir um sonho ou uma paixão, o trabalho se torna uma jaula. Um corpo sem alma! O resultado é frustração, agitação e a total falta de um propósito para a existência.

Responder ao chamado e correr atrás dos sonhos é, na verdade, a saída mais fácil. Recusá-lo é a parte difícil, pois existe o risco da infelicidade, de uma vida sem alegria, sem paixão, sem significado ou propósito.

Talvez nos primeiros anos você adorasse seu emprego atual, mas ele foi se tornando penoso. Isso quer dizer que seu trabalho atual não é seu chamado supremo e que é preciso procurar mais e perguntar a si mesmo se, ao longo do caminho, você abriu mão de seus sonhos.

Layne Beachley
Se você não está fazendo algo que lhe traz alegria, que alimenta sua paixão para se levantar da cama todos os dias, então não está cumprindo seu papel como ser humano neste planeta.

Michael Acton Smith

A vida é curta; não é um ensaio. É preciso agarrá-la e experimentar o máximo de coisas e conhecer o máximo de gente possível. Com toda a certeza, não se trata de se sentar no sofá e ver TV, lamentando as oportunidades perdidas.

Liz Murray

Enterramos minha mãe um dia depois do Natal. Eu tinha 16 anos. Não havia dinheiro para um funeral de verdade, então ela foi colocada em um caixão de pinho com a tampa fechada. Escreveram nele as palavras "cabeça" e "pés". Foi horrível. Era uma vida turbulenta, mas mantínhamos um relacionamento muito amoroso. Minha mãe costumava se sentar na minha cama e compartilhar seus sonhos comigo. Queria vencer o alcoolismo, comprar uma casa, ter uma vida melhor. E ela sempre dizia que ia chegar lá, mas que ainda não era a hora. Faria depois. E percebi, em algum momento, que eu levava minha vida assim: dizendo a mim mesma que faria as coisas depois.

Talvez você julgue ter tempo para seguir seus sonhos. Não tem. A vida é curta. A expectativa atual é de 24.869 dias. Embora alguns tenham mais pela frente do que outros, de qualquer modo existe apenas um precioso número de dias disponíveis para viver. Portanto, não há tempo para deixar seus sonhos de lado. É agora ou nunca. Se você não agir agora, adiará para sempre e nunca fará. A hora é *agora*!

"'Um dia eu faço' é a moléstia que levará seus sonhos para o túmulo com você..."

Timothy Ferriss

Autor de Trabalhe 4 horas por semana

Perceber que ninguém vai realizar seus sonhos por você é um grande passo. Seu chefe, seus amigos, seu companheiro, sua família e seus filhos não podem viver a vida no seu lugar. Você é responsável por criar uma vida que lhe traga alegria e realização. Ninguém mais pode fazer isso por você.

Michael Acton Smith

A coisa mais importante que se deve aprender é a ter responsabilidade pelos próprios atos. É muito fácil culpar a sua criação, a falta de dinheiro, a falta disso ou daquilo. Se você para e diz "Quer saber? Ninguém é responsável pela minha vida além de mim mesmo", esse é o passo mais importante que pode dar, pois é quando percebe que é você quem dita o rumo das coisas. Você precisa mudar seu modo de pensar. Precisa mudar de emprego. Precisa mudar seja lá o que for para que as coisas aconteçam.

Liz Murray

Quando somos crianças, temos algo que os adultos perdem. Tudo é novo e empolgante, e tudo parece ser de fato possível. Mas aí algo acontece. Fracassamos, somos rejeitados, temos decepções. Atrofiamos aquela parte e ficamos sérios demais.

Imagine que você acordasse todos os dias e dissesse: "E se eu fosse atrás daquilo que desejo? Dos meus sonhos?" Então desligaria o despertador, poria os pés no chão e simplesmente correria atrás dos seus sonhos. Para recuperar a magia perdida... para viver pelo puro prazer das possibilidades.

Você pode sentir medo de ir atrás do que deseja porque pensa que pode fracassar. Porém, lembre-se de que nunca recebemos o chamado para seguir um sonho se não temos o necessário para conquistá-lo e torná-lo realidade.

Laird Hamilton
O medo do fracasso impede que as pessoas façam muitas coisas. Minha mãe costumava dizer que somos nossos piores inibidores, que nós mesmos nos detemos.

Outra forma de se deter é pensar que não sobraram ideias ou oportunidades e usar isso como desculpa para não fazer nada da vida. Se você acha que as oportunidades acabaram, veja a facilidade com que Paul Orfalea encontrou sua chance de ouro.

Enquanto esperava na fila para usar a copiadora da biblioteca, Paul Orfalea enxergou algo que ninguém mais via. Ele pensou: "Se há uma fila aqui, deve haver filas em outros lugares." E a partir dessa observação simples nasceu o conceito da Kinko's.

Paul Orfalea
Se tenho alguma qualidade é saber como estar presente no momento. Não é possível enxergar uma oportunidade sem estar presente.

Michael Acton Smith
Muita gente olha para pessoas bem-sucedidas e dá de ombros, dizendo: "Ah, eles tiveram sorte." Mas na vida é você quem faz a própria sorte, e, quando as oportunidades aparecem, deve estar pronto para agarrá-las.

Anastasia Soare
As oportunidades estão diante de você todos os dias. É quase como uma estação de trem: estão todos ali; os trens param diante das pessoas, mas elas estão de olhos fechados. Não abrem os olhos e não pegam o trem. As oportunidades estão em toda parte.

G. M. Rao
Não é preciso ter um grande sonho para fazer algo grande. Basta estar aberto para as oportunidades da vida.

> "Tentarão lhe dizer que todas as grandes oportunidades já têm dono, mas o mundo muda a cada segundo, soprando novas oportunidades em todas as direções, inclusive na sua."
>
> *Ken Hakuta ~ Dr. Fad*
> *Inventor*

A Ilusão da Segurança

Não deixe que o dinheiro e a segurança ditem suas escolhas. A vida está sempre se transformando; as empresas mudam de mãos, vão à falência, mudam de país, empregos desaparecem ou o colapso econômico acarreta ondas de demissões. Você pode perder o trabalho, as economias e a casa. Casamentos chegam ao fim, problemas de saúde aparecem, sem falar de outras circunstâncias que fazem descer pelo ralo toda segurança que você julgava ter. Escolhi a segurança financeira em vez de seguir meus sonhos e, quando fui demitida, vi com clareza que a segurança que eu achava que tinha só existia na minha cabeça. A verdadeira segurança está em saber que *não há* segurança, e assim você viverá ao máximo cada dia.

Mastin Kipp

Embora a família e os amigos o amem e queiram o seu melhor, em geral vão preferir que você siga o caminho da segurança financeira, com garantias de estabilidade. A não ser que você tenha pais incríveis ou tenha sido criado num ambiente incrível.

Michael Acton Smith
Por mais doloroso que seja, no curto prazo, afastar-se da segurança de um emprego bem-remunerado, você tem décadas de vida diante de si. Talvez seja melhor sofrer um pouco no curto prazo para encontrar algo que você ame, mesmo ganhando menos. Porque, se você trabalhar naquilo que ama, acabará sendo bem-sucedido de muitas outras formas.

G. M. Rao
Não deixe que o dinheiro comprometa o que você ama fazer. Aquilo que você faz com excelência o levará, com toda a certeza, a obter a prosperidade e a segurança desejadas. Talvez o começo seja tímido, mas, quando se atinge a perfeição no que se faz, o resto acontece.

Qualquer um pode cair na armadilha da segurança. Existe muita gente que ganha rios de dinheiro num trabalho insuportável; são pessoas tão frustradas e infelizes quanto as que ganham muito menos.

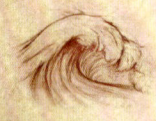

Laird Hamilton
O que o dinheiro significa para você? Se é seu objetivo, então ele o governará. Ditará seus movimentos e assumirá o controle.

Bens materiais são maravilhosos, e experimentá-los é um dos grandes prazeres da vida. No entanto, o condicionamento da sociedade pode nos levar a pensar, de forma equivocada, que o acúmulo de bens deve ser nosso maior objetivo. Se esse fosse nosso propósito na vida, eles trariam a felicidade verdadeira, o contentamento e a satisfação, e nunca mais sentiríamos a necessidade de ir às compras. A felicidade que sentimos quando adquirimos algo não seria fugidia, e sim permanente.

Se acumular bens materiais fosse o objetivo da vida, seríamos capazes de levá-los conosco ao partir. Numa bela manhã, você sairia para pegar o jornal e não encontraria mais a casa do velho Joe, do outro lado da rua, porque ele a levou consigo. Não podemos levar bens materiais conosco porque não fazem parte da nossa essência. Embora nos deem alegria na vida terrena, não são o propósito de nossa existência.

Layne Beachley
Foi duro, desafiador e sacrificante, mas foi por escolha própria, porque seguir o sonho de conquistar o campeonato mundial era bem mais importante do que ganhar dinheiro.

Todo mundo precisa de comida, abrigo e roupas, mas a busca por bens materiais por si só nos rouba a liberdade de levar uma vida de verdadeiras realizações. Não inverta a ordem das coisas ao tornar a segurança e a busca por bens materiais o propósito de sua existência. A ironia é que, quando se escolhe seguir os sonhos em detrimento da segurança, é possível obter ao mesmo tempo riqueza e uma vida enriquecedora.

Além do mais, você recebe algo que dinheiro nenhum pode comprar: a sensação de realização, contentamento e satisfação. É claro que você sempre vai querer ir além e continuará correndo atrás de seus sonhos, mas, quando experimentar o sentimento de realização absoluta de quem trilha a Jornada do Herói, você não terá mais dúvidas sobre o que nasceu para fazer. E tudo que você ganha internamente ao cumprir seu propósito é o que leva consigo *de fato* ao partir.

Não chegue ao fim dos seus dias arrependido por tudo que deixou de fazer. Sua existência é preciosa. Se você se vender, não encontrará a felicidade que tanto procura, pois a verdadeira felicidade resulta da realização de seus sonhos. Imagine como seria chegar ao fim da vida sem arrependimentos. Imagine refletir sobre tudo o que fez e ser tomado por um sentimento de profunda satisfação.

LIZ MURRAY

Conhece o ditado que diz "Não morra com sua música dentro de você"? As pessoas têm sonhos quando deitam a cabeça no travesseiro todas as noites. E se você não honrar essa voz, ela não vai chegar a lugar nenhum. É uma energia que mora dentro de você. É impossível neutralizá-la. Então se você põe a cabeça no travesseiro à noite, recebe o chamado para fazer algo e ignora, o sonho permanece trancado lá dentro.

Para mim, não há nada pior que isto: morrer com sua música dentro de você.

Uma amiga trabalhou por muitos anos no setor administrativo de um canal de televisão e, após a empresa sofrer algumas mudanças, acabou sendo afastada. Ela sabia que o que mais queria era ser diretora de cinema, então começou a fazer planos para uma nova existência vivendo esse sonho. Só que, antes de agarrar a oportunidade e trilhar esse novo caminho, recebeu uma proposta para voltar à área administrativa da televisão ganhando um bom salário. Aceitou a oferta, e todos os sonhos e todas as possibilidades de uma nova vida desapareceram.

Michael Acton Smith
Não quero chegar ao fim da vida numa casa de repouso, olhando para trás e desejando ter feito tudo diferente.

Anastasia Soare
O que você tem a perder? Precisa tentar. Senão, vai passar a vida sem saber do que é capaz. E isso é doloroso...

Paul Orfalea
Sempre digo aos estudantes para abrir o próprio negócio ao sair da faculdade. Qual é o pior cenário? Voltar para a casa dos pais. Não é preciso ter experiência – apenas arrisque e comece.

Mastin Kipp
A maioria das pessoas não dá o salto porque não experimenta dor suficiente. Em geral, vão agir apenas quando estão tão esgotadas, tão aborrecidas e tão irritadas que simplesmente não aguentam mais.

Paul Orfalea
Mesmo se você está preso a um emprego ou a uma profissão de que não gosta, saiba que há uma chance melhor agora do que em qualquer outro momento da história para encontrar alguma coisa que realmente o satisfaça.

Não espere para mudar somente quando não aguentar mais. Mude sua vida agora! Você não merece nada que não seja felicidade verdadeira e realização: não se satisfaça com menos. Mesmo que já tenha sido envolvido pelos tentáculos da segurança e se sinta paralisado pelas obrigações, nunca é tarde – existe um número ilimitado de maneiras de seguir seus sonhos, e é mais fácil do que você imagina.

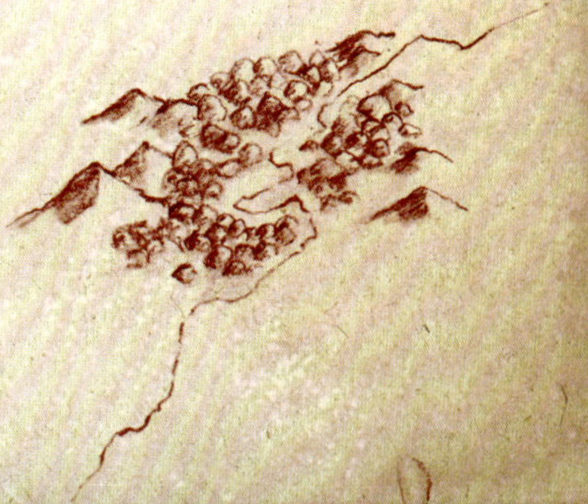

EM BUSCA DO SONHO

Em Busca do Sonho

PETER FOYO
A absoluta frustração da humanidade: o que eu faço da minha vida?

LAYNE BEACHLEY
O que você quer? Ponha a mão no coração e pergunte a si mesmo: o que eu quero? A primeira coisa que lhe ocorrer é a resposta certa.

Tente abandonar opiniões, crenças e conclusões sobre si mesmo, porque foram tais pensamentos que o impediram de enxergar seu sonho. Não se compare a ninguém, pois o potencial que reside dentro de você é inigualável. Abandone as velhas ideias sobre os limites do possível e abra a cabeça para todo tipo de possibilidade. Se puder deixar para trás toda a bagagem que acumulou na vida e acordar novo em folha, uma página em branco, as mais incríveis possibilidades estarão livres para acontecer na sua vida.

Layne Beachley
As pessoas olham para fora, mas você se descobre quando olha para dentro.

John Paul DeJoria
Nem sempre sabemos o que queremos, mas com certeza sabemos o que não queremos. Pare de pensar ou de fazer o que não quer e vá em frente. Se a viagem não estiver boa, salte na próxima estação. Você nunca experimentará nada diferente se não saltar do trem. Só então se abrirá para algo novo.

Mastin Kipp
Examine os momentos em que se sente feliz, momentos em que o tempo parece voar, quando está realmente iluminado, inspirado. Pense: "Quando me senti mais inspirado? Quando fui de fato feliz?" Por mais breves que tenham sido, tais momentos são como portões que revelam a natureza dos seus sonhos.

G. M. Rao
Algumas pessoas vão dar de cara com seu grande sonho no momento em que começarem a pensar no futuro.

O que você faria se tudo fosse possível? O que faria se o dinheiro não fosse um problema? O que faria se o sucesso estivesse garantido? Quando se fizer qualquer pergunta ou quando indagar sobre o seu propósito, o Universo lhe transmitirá a resposta. Ela não vem da mente consciente, senão você já saberia. A resposta vem da Mente Universal.

LAYNE BEACHLEY
A maioria das pessoas passa pela vida sem saber qual é seu sonho ou seu propósito, porque nunca temos tempo de perguntar a nós mesmos. É importante dedicar tempo para descobrir o que amamos. Caso contrário, seremos como um barco sem leme.

Antes de fazer as perguntas, relaxe e tranquilize a mente. E aí simplesmente se questione "Qual é meu propósito na vida?" ou "O que devo fazer?" ou ainda "Qual é a razão para eu estar aqui?". Não tente responder com a mente, deixe a pergunta solta no ar. Fique quieto por um minuto, preste atenção em qualquer coisa que lhe ocorrer e então repare no que você estará inspirado a fazer nesse dia.

A resposta chegará como um raio, provavelmente quando você estiver pensando em algo diferente. Não faça questionamentos; apenas pense em um pequeno passo que você pode dar ao receber a resposta.

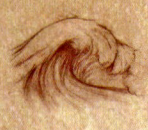

Laird Hamilton
É uma questão de ouvir a si mesmo, de mergulhar, de ficar em silêncio. Entre na floresta ou no mar. Vá para um lugar onde possa ouvir. Seu subconsciente vai falar. Faz parte de você, sempre fez, você apenas o escondeu lá no fundo.

John Paul DeJoria
No fim, se você se abrir para o Universo, ele chegará até você.

Uma mulher chamada Sara Blakely sabia apenas que queria ter um negócio multimilionário. Então *pediu* uma ideia multimilionária. Um belo dia, ao ter problemas para se vestir, ela teve uma ideia brilhante para um novo tipo de lingerie. A ideia se transformou na Spanx – agora uma empresa internacional multibilionária.

Peter Burwash
A outra forma é ir na direção do verdadeiro empreendedor, que se pergunta: "Do que o mundo precisa e o que ele deseja neste exato momento?"

Mastin Kipp
"Como eu posso resolver um problema ou uma dificuldade que as pessoas costumam ter?" A chave para o sucesso é responder a essa pergunta e descobrir se a resposta se alinha com sua paixão. Esse é o ponto de equilíbrio nos âmbitos espiritual, emocional e financeiro.

PAUL ORFALEA
A Kinko's começou por causa de uma pergunta. Se você parou de fazer perguntas, volte a fazê-las.

Como Paul Orfalea e Sara Blakely, criadores da Kinko's e da Spanx, os empreendedores fazem perguntas. É assim que chegam a uma ideia perfeita na hora perfeita, exatamente aquilo de que o mundo precisa naquele momento. Quando fazem uma simples pergunta, eles recebem uma ideia, e a partir dessa ideia, vão em frente e criam empresas muito bem-sucedidas.

Sempre que precisar fazer perguntas, pedir informações, ideias, soluções ou saber que rumo tomar na hora das decisões, a resposta será transmitida pela Mente Universal e aparecerá em sua cabeça como um raio. Utilize essa habilidade para explorar esse recurso incrível!

PETER BURWASH
Uma forma de encontrar uma direção: pegue duas folhas de papel. Escreva numa delas o que você faz de melhor e, na outra, o que gostaria de fazer. Em seguida, veja se consegue combinar o que está escrito nas duas páginas.

MASTIN KIPP
Encontre pessoas que percorreram a jornada ou faça perguntas àquelas que estão retornando da estrada que você deseja trilhar. Pergunte: "Como conseguiu?" Coloque-se num ambiente onde as pessoas estão fazendo aquilo que

você quer fazer. Consuma imensas doses de informações inspiradoras, seja por meio de livros, DVDs ou CDs, pois, ao fazer isso, você terá acesso aos pensamentos das pessoas mais importantes do mundo.

Layne Beachley

É preciso ter clareza. É o que confere poder. Reserve um tempo para esclarecer o que deseja e só então comece a seguir nessa direção. Se não souber o que quer, você permitirá que a vida dite as regras. Eu nunca permiti que a vida me ditasse as regras.

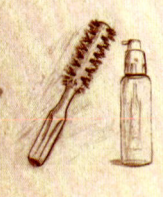

John Paul DeJoria

Se você está sonhando com algo e nada acontece, escreva o que deseja conquistar e deixe num lugar à vista, para encontrar assim que acordar. De um jeito ou de outro, se você se concentrar, a mente o conduzirá nessa direção. Tudo o que a mente conceber e acreditar, será realizado. Quanto mais tiver uma coisa na cabeça, maiores as chances de que ela aconteça.

Pete Carroll

Não é um bicho de sete cabeças. Para mim, é realmente óbvio que se trata de uma decisão consciente sobre o que você quer conquistar ou se tornar. É a visão que põe em ação aqueles poderes do Universo que nos ajudam a criar o que queremos.

Mesmo se você ainda não souber qual é o seu sonho, é possível fazer alguma coisa neste exato momento para acelerar sua realização: dê o seu melhor ao que está fazendo agora. Mesmo sabendo que o que deseja é um trabalho diferente daquele que você faz, dedique o máximo de atenção e esforço. Ao fazer isso, na verdade, você se torna maior do que seu trabalho atual e, com o tempo, portas se abrirão para conduzi-lo ao lugar certo.

Laird Hamilton
Minha mãe me ensinou o valor de fazer tudo da melhor maneira possível. Se você é gari, varra o chão da melhor forma que puder.

John Paul DeJoria
Para mim, o sucesso não é medido pela quantidade de dinheiro que se tem, e sim pela qualidade daquilo que se faz. Não importa se você é um faxineiro, um executivo ou um piloto de avião. É o que faz e a qualidade do que faz que determinam quão bem-sucedido você é.

Sonhos Grandes e Sonhos Pequenos

Anastasia Soare
Não há nada de errado com sonhos pequenos. Os sonhos grandes são para pessoas que estão conscientemente dispostas

a arriscar tudo o que têm na vida. Existem sonhos pequenos, existem sonhos grandes e existem sonhos loucos. É preciso ter certo tipo de personalidade para ser tão maluco.

Michael Acton Smith
Muita gente não tem sonhos grandes. Não tem confiança. Elas pensam que tudo de empolgante está destinado aos outros. Mas ter sonhos grandes é importante e torna a vida mais animada. Se você não tiver sonhos grandes, eles nunca vão se realizar.

Anastasia Soare
As pessoas precisam compreender quanto querem dar para obter o que desejam. Tudo na vida é como uma conta bancária: o que você deposita, você saca. Não deposite pouco e espere sacar muito. Não é o que acontece.

Alguém pode começar com um sonho bem grande enquanto outra pessoa parte de um sonho pequeno que cresce bem mais do que imaginou. A vida parece nos convidar a ter um sonho do tamanho que nos cabe no momento.

G. M. Rao
Sonhos pequenos, como peças de um quebra-cabeça, abrem espaço para o sonho maior. A princípio, o simples ato de sonhar é difícil, mas é importante saber que Mahatma Gandhi não começou pensando em nada tão grande. Ele apenas ia

testando os limites daquilo que queria que acontecesse e então, bingo, coisas maiores começaram a acontecer.

Quando você descobre seu sonho e o realiza, todos os outros sonhos menores que você tem também se realizam. Aos 20 e poucos anos, um dos meus sonhos era viver em outro país. Queria a aventura e o desafio de morar em um lugar que não me era familiar, experimentando a empolgação de uma cultura diferente. Quando meu sonho com *O Segredo* se realizou, meu trabalho exigiu que eu me mudasse da Austrália para os Estados Unidos. E assim, um sonho que eu havia deixado de lado se realizou junto com meu sonho grande. Os sonhos estão conectados, e assim que um se realiza, os outros o acompanham.

Não importa se você encontrou seu sonho ou se não faz ideia do que ele seja, há um conselho extremamente simples que, se for seguido, com certeza o conduzirá até ele.

SIGA SUA FELICIDADE

Siga Sua Felicidade

Joseph Campbell foi um dos mais respeitados estudiosos de mitologia em todo o mundo e, por meio de ensinamentos inspiradores, deixou uma mensagem simples e ao mesmo tempo profunda.

"Siga Sua Felicidade."

Essas três palavras servem de bússola para a vida. Indicam o rumo a tomar a cada momento. Feliz é como você se sente ao fazer algo que ama muito, e esse sentimento é como um fio costurado a seus sonhos. Assim, ao seguir a felicidade, você também encontra seus sonhos e cumpre seu propósito de vida.

Nick Woodman sabia que queria ser empreendedor, mas não tinha ideia de qual ramo de atividade escolher. Enquanto seguia sua felicidade, surfando com amigos em uma viagem para a

Austrália e a Indonésia, Nick não parava de pensar como seria incrível ter uma câmera capaz de registrar todos eles em ação. Esse pensamento foi a semente da ideia que se transformou na GoPro, transformando Nick Woodman em um dos mais jovens bilionários do mundo.

A Felicidade Leva à Felicidade

Há uma qualidade irresistível e poderosa que emana de você quando está feliz e fazendo o que ama. Isso atrai ainda mais felicidade. Embora talvez ainda não seja capaz de identificar seu sonho, nesses momentos de pura alegria você já está seguindo o caminho que o levará até lá.

LAYNE BEACHLEY
Escolha fazer algo que o deixa feliz todos os dias. Quantas pessoas fazem isso? Quantas pessoas identificam o que lhes faz bem e dedicam algum tempo para si mesmas?

Você segue a felicidade quando decide realizar algo que faz muito bem todos os dias. Pode ser uma coisa tão simples quanto sentar numa praça ou num jardim e relaxar com os pés para o alto ou comprar uma xícara de seu café preferido e, em vez de sair correndo, tomá-lo com calma, sentado, respirando fundo e observando o mundo à sua volta. Não importa quão pequena ou insignificante possa parecer, faça todos os dias alguma coisa que corresponda à sua ideia de felicidade. Você vai encontrar inspiração para mais coisas felizes antes do que imagina e, só por fazer aquela primeira coisa, em breve estará segurando com firmeza o fio que vai conduzi-lo a seus sonhos e a uma vida realizada.

Peter Foyo
É um clichê, mas eu realmente acredito que é importante viver a vida da forma mais intensa possível.

Michael Acton Smith
Ao lado da família e dos amigos, o trabalho é uma das partes mais importantes de sua vida. É onde você passa a maior parte do seu dia, e por isso deve ser algo agradável. Deve ser algo que desperte sua paixão e com que você se importe.

John Paul DeJoria
Amo o que eu faço; caso contrário, não o faria.

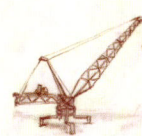

G. M. Rao
O dinheiro e a segurança são muito importantes. A satisfação pessoal e a paixão por algo que se faz, mais ainda. É por isso que sonhar é tão fundamental.

Se você possui um emprego em tempo integral, provavelmente passa 250 dias do ano no trabalho. Esses 250 dias correspondem a mais de dois terços do ano. Portanto, se você não está fazendo o que aquece seu coração e que o preenche de paixão e empolgação, está desperdiçando um tempo precioso da sua vida.

"O trabalho vai tomar grande parte da sua vida, e a única forma de estar satisfeito de verdade é fazer o que você acredita ser um grande trabalho. E a única forma de fazer um grande trabalho é amando o que se faz. Se ainda não descobriu, continue procurando e não se acomode."

Steve Jobs
Cofundador da Apple

Se você fica em casa cuidando dos filhos, inclua nesse precioso tempo alguma atividade que você ama. Dedique-se a ela quanto puder. Na época em que fiquei em casa com as crianças, precisei encontrar um canal para a minha criatividade, então passei a me dedicar à culinária. Fiz cursos, comprei livros, pratiquei e cozinhei até aperfeiçoar todos os métodos que consegui encontrar. Cozinhar se tornou minha felicidade. Quando voltei ao emprego na televisão, o primeiro programa que desenvolvi foi de culinária e, por causa de tudo o que eu aprendi, foi um grande sucesso. Com isso, minha carreira de produtora deslanchou.

JOHN PAUL DEJORIA

Quando você é dedicado e gosta do que faz, quando é aquilo que deseja fazer, não apenas uma obrigação, você sempre vai fazer melhor, porque vai fazer com amor.

Por alguma razão, muitos separam a felicidade do trabalho, e não amam o que fazem. A vida não precisa ser assim. O fato de existirem pessoas felizes e que vivem seus sonhos no trabalho demonstra que isso também pode acontecer com você. Não é necessário saber qual é o trabalho dos seus sonhos, porque a felicidade está ligada a ele, então basta seguir a felicidade: ela o conduzirá a esse trabalho!

G. M. Rao
Não trabalho porque preciso. Trabalho porque gosto. Para mim, o trabalho é devoção, tem um sentido, um propósito, e traz felicidade e satisfação não apenas para mim, mas também para aqueles que me cercam.

Liz Murray
Acho que eu nunca disse: "Vou trabalhar."

Que tipo de atividade você se imagina fazendo para nunca mais dizer "Vou trabalhar"? O trabalho deve envolver sua paixão ou seu talento especial e deve ser algo que você faria mesmo de graça.

Liz Murray
Preciso me divertir com o que faço. Se não me divirto, se não sinto o vento no rosto, se não parece mágico, não consigo continuar. Preciso ir atrás daquilo que me faz sentir como se fosse a manhã de Natal quando eu era criança e mal podia esperar a hora de sair da cama. Se começo a temer a hora de

fazer algo ou se desejo que acabe logo, é um sintoma de que algo precisa mudar.

MICHAEL ACTON SMITH

Na Mind Candy, adoramos ter na equipe pessoas que não se levam tão a sério, que conseguem se divertir trabalhando. Nada disso é uma questão de vida ou morte, embora muita gente prefira pensar assim. Acho que você aprecia mais a vida e fica com o espírito mais leve quando se diverte no trabalho.

"Não comecei minha jornada com o objetivo de ficar rico. A diversão e o desafio eram o que eu queria na vida – e ainda quero –, mas descobri que, quando me divirto, o dinheiro vem."

Sir Richard Branson

Empreendedor/magnata dos negócios

Seja Fiel a Si Mesmo

Quando seu trabalho for uma alegria, você será feliz. Ter um emprego que você acha que deveria ter em vez de fazer o que ama é levar uma vida falsa. Tantas pessoas brilhantes seguem um caminho que lhes foi imposto por professores ou pais bem-intencionados, pela sociedade ou até mesmo por um amigo ou o parceiro, e sentem-se infelizes. Vemos evidências dessa infelicidade no alarmante crescimento dos problemas de saúde mental mundo afora. Esqueça o que os outros pensam. Tenha coragem de seguir sua felicidade e você será imensamente recompensado.

John Paul DeJoria
Muitas coisas que você deseja fazer talvez não sejam o lugar-comum nem algo com que todos concordam. Mas se lhe traz felicidade, pelo amor de Deus, corra atrás. É tão compensador ser fiel a si mesmo!

Michael Acton Smith
Larguei a faculdade e arranjei um emprego "normal" em um banco. Logo percebi que aquilo não era para mim. Não dizia nada para a minha alma. E percebi que eu não me encaixava nos critérios de nenhum emprego.

G. M. Rao
Quando perseguimos um sonho, nos tornamos alvo de forças que vêm de diferentes direções. Dos acionistas, da família, dos amigos e da sociedade. No meu caso, houve muitas situações assim. Por exemplo, resolvi sair da sociedade do negócio que mantinha com meus irmãos e seguir meus próprios sonhos quando descobri que os dois tinham aspirações diferentes.

G. M. Rao teve coragem de seguir seus sonhos, e veja só o que ele alcançou. Construiu aeroportos, estradas e hospitais. Desenvolveu cidades na Índia. Levou progresso para seu país e para centenas de milhões de pessoas por ter tomado a decisão de seguir sua felicidade.

Em geral, é preciso ter coragem para fazer aquilo que se ama e contrariar a maioria. Resista à tentação de querer agradar a todos e seja fiel a si mesmo. Não é obrigação sua fazer os outros se sentirem bem. Cada um precisa encontrar a própria alegria e felicidade. Esta é a sua vida e você precisa seguir seu coração. Existe algo de especial em você, um talento, uma habilidade singular, e é sua responsabilidade fazer com que ela desponte.

> "Escolha um trabalho que você ame. Acho uma loucura alguém aceitar empregos de que não gosta para ter um currículo bom. Não seria um pouco como reservar o sexo apenas para a velhice?"
>
> *Warren Buffett*
> *Magnata dos negócios e investidor*

ANASTASIA SOARE

Examine sua vida. Se você está feliz onde se encontra, parabéns. Se não estiver, comece a refletir: "Muito bem, o que me faz feliz? Tenho um emprego e estou infeliz." Pois então mude de emprego.

Se decidiu mudar mas não sabe como, o primeiro passo, o maior de todos, é seguir sua felicidade.

ANASTASIA SOARE

Você é um contador e está totalmente infeliz. Pois bem, talvez goste de cozinhar. Vá em frente e se torne um chef de cozinha. Não abandone o emprego de imediato por causa das contas a pagar, mas tente bolar um plano: "Tudo bem, vou fazer isso em meio período." Você precisa planejar. Eu guardava cada centavo que ganhava para perseguir meu sonho. Se você não dispõe de apoio financeiro, a tensão gerada por não conseguir pagar as contas vai destruir seu sonho.

Anastasia tinha uma família para sustentar, por isso passou dois anos planejando seu negócio antes de arriscar. Hoje, tem uma multinacional e leva a vida que sempre imaginou. Se não tivesse elaborado um plano e ido atrás de sua felicidade, ainda estaria trabalhando 14 horas por dia no salão de outra pessoa.

Há tantas coisas que você pode começar a fazer agora mesmo para seguir sua felicidade! Faça aulas gratuitas de algo que você ama. Arranje livros e revistas e leia sobre pessoas que fazem o que você gostaria de fazer. Descubra que tipo de emprego pode conduzi-lo para essa área. Use a internet, as redes sociais, escrevaem blogs, pesquise. Você tem o mundo na ponta dos dedos e hoje existem mais oportunidades do que nunca para se conectar e explorar. Dedique toda a sua atenção ao que você amaria fazer.

Laird Hamilton

Como acontece a transição entre a vida que você leva agora e aquela em que você faz o que ama? Encontre recursos para fazer o que ama trabalhando com algo diferente, para que sua paixão se sustente. De repente, você estará fazendo o que ama para ganhar a vida. E a transição ocorrerá bem mais depressa do que imagina.

Mastin Kipp

Se tiver outras responsabilidades, comece devagar, comendo pelas beiradas, até finalmente arriscar.

> "Siga a felicidade, e o Universo abrirá portas onde só existiam paredes."
>
> *Joseph Campbell*
> Mitólogo

Você pode começar a seguir a felicidade neste exato momento, porque em algum ponto da vida encontrou algo que sempre quis fazer, mas ainda não experimentou. Já sentiu uma urgência para aprender dança de salão, rap, surfe ou canoagem? Já sentiu um desejo irresistível de fazer aulas de teatro, pintura, jardinagem, modelagem ou decoração? Ou existe um instrumento musical que deseja muito aprender porque ao ouvi-lo você entra em êxtase?

Você sente atração por algum país em particular e quando ouve o idioma fica num estado de agitação? Havia alguma coisa que você adorava fazer quando criança, mas que abandonou na vida adulta porque precisava ganhar dinheiro? O que você sempre quis fazer?

A maioria das pessoas nunca dá ouvidos a esses desejos. Elas os abandonam por acharem que são insignificantes, sem relação com as coisas mais importantes da vida. Mas esse desejo de fazer algo específico é o Universo chamando você para seguir a felicidade, e esse desejo está, com toda a certeza, ligado ao caminho de seus sonhos. Não é possível enxergar o vínculo sob a perspectiva terrena, mas o Universo pode ver com clareza que essa é a trilha que o conduzirá a seus sonhos.

O Que Mexe com Você

O que o atrai? O que mexe com você? O que você sempre desejou fazer? Siga esse desejo, siga a felicidade, porque, embora você não perceba como aquilo pode ser relevante para seu sonho, ela é o fio que o conduzirá até lá – como aconteceu com a minha filha.

Desde que aprendeu a ler, minha filha dizia que queria ser escritora quando crescesse. Além de escrever, ela tinha duas imensas paixões: estar perto da natureza e andar a cavalo. Ela manteve esses três amores de infância na idade adulta, mas, quando se mudou para os Estados Unidos, precisou se afastar dos cavalos.

Com a mudança, o sonho antigo de se tornar escritora ficou em segundo plano enquanto ela se ocupava de outro sonho: encontrar o parceiro perfeito e começar uma família. Fez uma lista de tudo o que queria nesse companheiro, mas por muitos meses ele não deu sinal.

Então ela decidiu seguir sua felicidade. Começou a fazer aulas de equitação, voltou a escrever e comprou uma casinha cercada pela natureza. A casa precisava de *muito* trabalho, mas ela estava extremamente feliz.

Eis o que aconteceu quando minha filha seguiu sua felicidade. Deram-lhe um novo cavalo para montar nas aulas. E no momento em que o montou pela primeira vez, era como se tivessem sido feitos um para o outro. Ela descobriu o cavalo dos sonhos e teve a oportunidade de comprá-lo em prestações que cabiam no seu orçamento. Teve uma ideia para um livro infantil e o escreveu. Minha filha estava extremamente feliz. Tinha o cavalo dos sonhos, vivia perto da natureza e enfim tinha escrito um livro.

E bem ali, naquele momento, em meio a tanta felicidade, ela conheceu o parceiro perfeito. Dois meses depois, seu sonho antigo de se tornar escritora também se realizou. Uma editora de prestígio resolveu publicar seu livro. E, para completar, de repente tudo ficou muito promissor para sua casinha necessitada de tantas melhorias – por acaso, seu companheiro era filho de um construtor.

É possível ter tudo. Mesmo que sua felicidade pareça não ter relação alguma com um sonho maior. Siga sua felicidade, e siga com todo o coração. Embora não possa ver o que vem adiante, sua felicidade é o fio que o conduzirá a *todos* os seus sonhos!

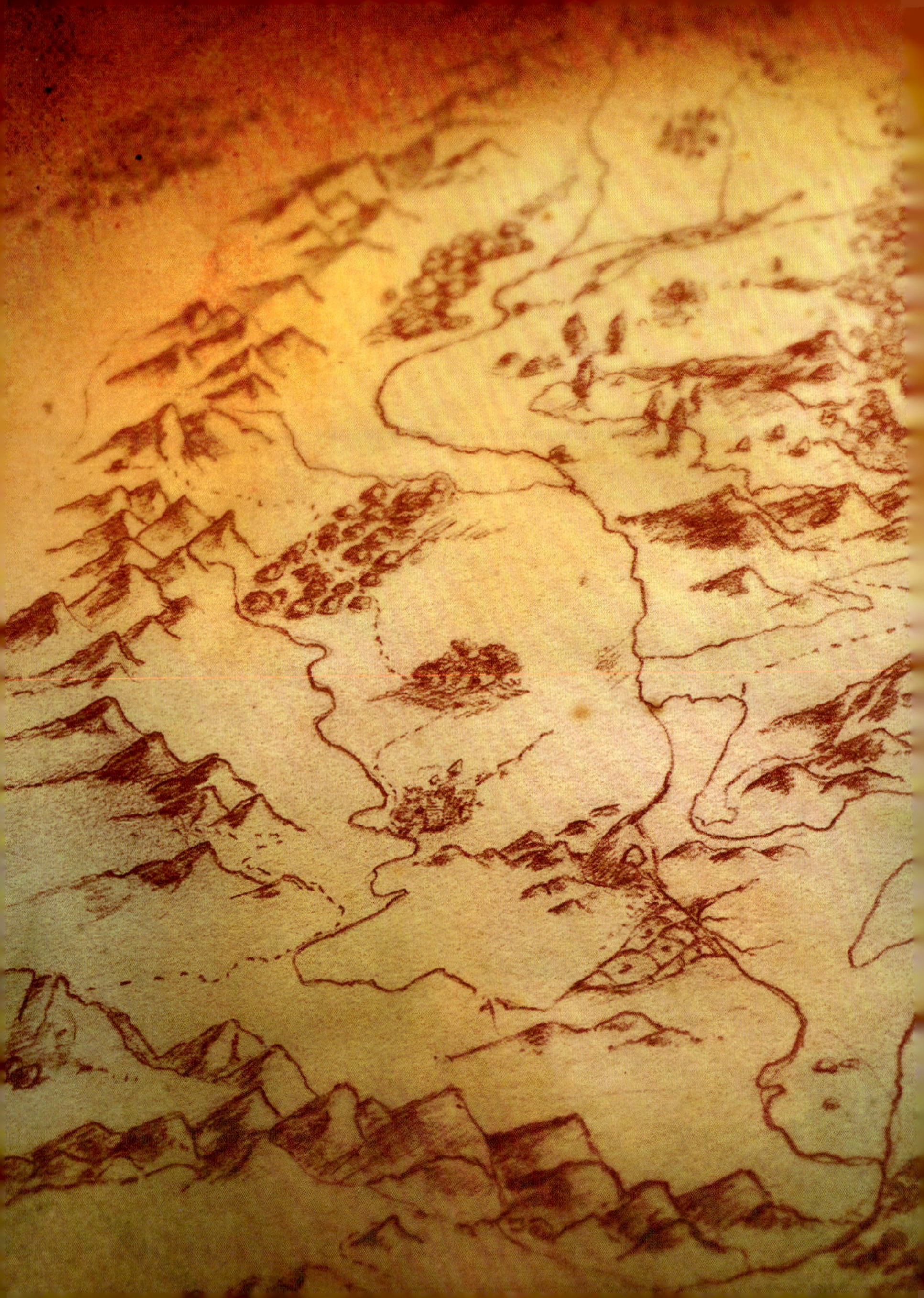

Parte Dois
O Herói

FÉ

Fé

LAYNE BEACHLEY
No fim das contas, para conquistar qualquer coisa na vida, é preciso acreditar que vai conseguir. Essa fé foi o que me permitiu ganhar tantos títulos mundiais.

LAIRD HAMILTON
É preciso acreditar que tudo é possível, que você consegue.

Acreditar em si é, talvez, o maior poder heroico de que você dispõe. Sua fé será capaz de ajudá-lo a atravessar todas as situações difíceis e circunstâncias desafiadoras, permitindo que, no fim das contas, você realize seu sonho!

Na sua primeira temporada como treinador de futebol americano da Universidade do Sul da Califórnia, Pete Carroll orientou um jovem e talentoso *quarterback* cujo potencial ameaçava não ser cumprido. O problema era que esse jogador falava coisas negativas sobre si mesmo, o que às vezes afetava seu desempenho no jogo. Quando Pete descobriu que o jovem sofria por antecipação, ele trabalhou com a equipe para eliminar o pessimismo do jogador.

Graças à intervenção oportuna, o *quarterback* passou a acreditar em si de tal modo que, duas temporadas depois, recebeu o troféu Heisman, prêmio concedido ao melhor jogador de todos os times no campeonato universitário nacional. Seu sucesso o levou à NFL e ele ganhou o título de "Jogador Mais Valioso" no Pro Bowl. Seu nome é Carson Palmer.

Pete Carroll
Em toda a minha vida como treinador, ajudei indivíduos a compreender o poder do pensamento e das crenças pessoais. O que alguém diz para si mesmo é o maior indicador de seu grau de confiança. Ensino o valor e o significado de pensamentos positivos como um elemento fundamental para ativar sonhos.

Anastasia Soare
A mensagem que quero transmitir para as pessoas é a seguinte: se eu vim para cá sem falar o idioma, sem um centavo no bolso, e fiz tudo isso, qualquer um consegue. Só precisa acreditar na própria capacidade. É isso.

E se você não consegue acreditar em si mesmo?

A única razão para não acreditar em si mesmo é ter *pensado*, de forma descuidada, que não deveria acreditar. Você imaginava coisas e acreditava serem verdadeiras. Você nasceu acreditando em si, e se não acredita mais, quer dizer que aceitou pensamentos que outras pessoas lhe impuseram e os tomou como verdadeiros. E a única forma de manter essa descrença tem sido por meio de pensamentos que não saem da sua cabeça – aquilo que você diz para si mesmo.

MASTIN KIPP
O principal obstáculo para o sucesso é não acreditar que é possível. Se você acredita que algo não é possível, você está certo. E o Universo inteiro vai ficar contra você; não por ser um lugar ruim, mas porque é a forma como você vem interagindo com ele. Tudo que você procura é uma prova da sua falta de valor e uma prova dessa impossibilidade.

É muito simples transformar a falta de confiança. Comece a pensar o oposto do que tem pensado sobre si mesmo: você *consegue* fazer e tem tudo de que precisa para ser bem-sucedido. Lembre-se de que dispõe de habilidades poderosas e de que saberá exatamente como usá-las quando chegar a hora. Lembre-se de que basta dar um passo de cada vez.

A Mente Subconsciente

Ao pensar que é capaz de conquistar seu sonho, você altera a programação da mente subconsciente. Ela é como um computador, com muitas ferramentas diferentes baixadas por você, seja com seus próprios pensamentos ou ao ouvir e aceitar os juízos que os outros fazem de você. E é algo que você tem feito a vida inteira.

Michael Acton Smith
Se você não acreditar em si mesmo – se não acreditar que consegue realizar algo –, ninguém mais acreditará.

Todos os programas baixados na mente subconsciente foram colocados ali pelo pensamento, que é o único responsável por criar um novo programa e apagar o antigo.

Quando começar a pensar que é capaz de fazer qualquer coisa, você sentirá a rejeição vinda do "firewall" da mente subconsciente, avisando que nada disso é verdade. Mas, à medida que continuar a semear o pensamento sobre sua capacidade, com o passar do tempo a ideia se consolidará numa crença e você terá alterado a programação.

Layne Beachley
Qualquer um pode acreditar em si mesmo; é uma escolha.

É surpreendente que, depois de tantos anos – talvez uma vida inteira – sem ter fé em si mesmo, seja necessário apenas um curto período de esforços deliberados para começar a acreditar.

A ocasião mais poderosa para reprogramar o subconsciente é quando você está prestes a dormir. Aquele estado sonolento, no limiar entre o sono e a vigília, é o momento propício para semear a ideia de que você é capaz de fazer qualquer coisa e de realizar o que deseja. O objetivo é fazer com que o pensamento de confiança, de "acreditar em si mesmo", seja o último a passar por sua cabeça antes de dormir, pois ele é capaz de atravessar o firewall e penetrar no subconsciente. E, quando ele atravessa o firewall, a mente subconsciente precisa aceitá-lo como verdade.

Quando sua mente subconsciente tiver baixado o novo programa da fé, você deve rodá-lo e demonstrar que sua crença em si mesmo é verdadeira. De repente, aparecerão novas pessoas, que acreditam em você, ou então você receberá apoio de quem já faz parte da sua vida. Você sentirá inspiração para executar atos que demonstram sua capacidade e que aumentam sua fé em si mesmo.

Aquilo que você guarda em seu subconsciente é o que acontece na sua vida. Qualquer novo programa é transmitido imediatamente para a Mente Universal, e assim que receber as instruções, o Universo trabalhará para que você obtenha o que deseja. Talvez agora você compreenda por que se diz que "tudo o que a mente humana pode conceber e *acreditar* ela pode conquistar".

G. M. Rao

Acredito fielmente na minha visão de criar valor para a sociedade. Apesar de dois reveses significativos que poderiam ter feito minha vida perder o rumo, eu perseverei, pois meus valores e meu comprometimento inabalável estavam alinhados ao desejo do Universo, que me apoiou de forma incondicional. Nunca tive dúvidas.

Laird Hamilton

Eu acreditava genuinamente que era capaz de realizar meu sonho. Não poderia ter chegado aonde cheguei sem acreditar de verdade. Não quer dizer que eu não tivesse dúvidas – porque a dúvida é constante, está sempre pairando, circulando e tentando tomar conta de você –, mas eu a rejeitei.

Ter fé em si mesmo não o privará de momentos em que você questionará sua capacidade de realizar seu sonho. Nesses momentos de dúvida, volte a pensar no próximo passo. Será mais fácil crer que você é capaz de dar um passo minúsculo, sem ficar neurótico com a jornada à frente. E, no fim das contas, na Jornada do Herói só é mesmo possível dar um passo de cada vez. Foi dessa forma que todas as pessoas bem-sucedidas cumpriram seu destino.

Quando estiver feliz, sua fé será forte. Quando se sentir cansado, desanimado, abatido ou sem energia, as dúvidas aparecerão. Todo mundo vive momentos assim, então lembre-se de que esses sentimentos são temporários e que *vão* passar. Por isso é tão importante seguir a felicidade a cada dia, pois assim você se sentirá mais alegre e, como consequência, sua fé se fortalecerá.

G. M. Rao
É preciso investir fé em seu sonho. Esteja confiante de que o que deseja é simplesmente a melhor coisa do mundo para você. Sem essa fé, o que segue é uma abordagem frouxa, sem esforço, sem determinação nem persistência. Muitas vezes, o medo do fracasso é o que está por trás dessa falta de convicção.

Mastin Kipp
Minha mãe disse que eu era capaz de fazer qualquer coisa que quisesse. E acreditei nisso ao pé da letra. Sabia desde o início que, quando estivesse determinado, algo grande aconteceria.

Laird Hamilton
Minha mãe acreditava que eu era capaz de caminhar sobre a água. Sua fé não tinha tanta relação com um determinado objetivo, era mais a convicção de que eu poderia ser uma boa pessoa. Isso me deu a força necessária para acreditar em mim mesmo. Quando alguém acredita em você, é preciso se agarrar a essa pessoa. É ela que você precisa ter por perto.

Anastasia Soare
Uma coisa pequena pode mudar sua vida. Eram tempos mais inocentes, mas lembro claramente quando eu tinha 6 anos e estava na alfaiataria dos meus pais. Um dia, minha mãe falou:

> "Lembra todas as vezes que a levei na loja? Vou escrever o que comprar num pedaço de papel e lhe dar o dinheiro. Pegue o ônibus, conte seis paradas. Pergunte ao motorista se está saltando no lugar certo." Respondi: "Mãe, eu tenho 6 anos! Não sei..." E ela: "Não, você é esperta. Vai conseguir." Fiquei um pouco assustada, mas sabe o que ficou na minha cabeça? Ela afirmou que eu era esperta e que iria conseguir, e se ela tinha dito aquilo, era verdade. Nunca esquecerei o sorriso em seu rosto quando voltei. Ela comentou: "Falei que você era esperta e que ia conseguir. Estou muito orgulhosa."

MICHAEL ACTON SMITH
Ter autoconfiança é mais fácil quando se tem o apoio dos pais, mas não é impossível obtê-la sem eles.

Com toda a certeza, houve alguém na sua infância que acreditava em você, mesmo se seus pais não colaboravam para o desenvolvimento da sua autoconfiança. Talvez tenha sido um parente, um avô, um vizinho, um professor ou um irmão, mas é certo que houve alguém. E não importa se essa pessoa ainda está viva ou não, você literalmente conta com todo o apoio do Universo neste exato momento.

Quando decidir seguir seu sonho, o Universo fornecerá suporte e providenciará tudo que for necessário para que ele seja concretizado, trazendo todas as pessoas, todas as circunstâncias favoráveis. E a forma de acionar o Universo é usar sua mente subconsciente para acreditar!

Laird Hamilton
Acredite que as coisas vão se resolver se você mantiver o foco em sua missão ou nos seus objetivos e que receberá tudo de que precisa por conta de seu empenho.

Mastin Kipp
Faça uma lista de quem o inspira e escreva de que forma cada pessoa lhe traz inspiração. É pela perseverança? É pela forma com que se entrega? É pela conta bancária? É pelo legado que deixaram? Então reconheça que, na verdade, a característica que o inspira na outra pessoa faz parte de você.

Liz Murray
Aprendemos com a prática, e, assim, se você conseguir se colocar em determinadas situações, poderá reconstruir sua autoestima e alterar seu sistema de crenças. Será capaz de fazer coisas que antes pareciam impossíveis, pois não dispunha de referências. É quase como a memória muscular. Dessa forma, novas experiências nos levam a novas crenças.

Sua fé aumentará e se fortalecerá a cada passo e a cada experiência pela qual passar na Jornada do Herói, à medida que descobrir sozinho como é verdadeiramente capaz.

Acredite em seu sonho e acredite em si, pois você é um herói, e seu herói interior não acredita apenas que você pode conquistar o que sonha – ele *sabe* que você conseguirá!

VISÃO

Visão

MASTIN KIPP
É a Bíblia que explica da melhor maneira: sem uma visão, as pessoas perecem.

LAIRD HAMILTON
Todas as ideias que tive e tudo que já fiz, vi primeiro na minha cabeça. As pessoas falam sobre visualização. É apenas uma forma de dizer que é possível ver alguma coisa na sua cabeça. Em última instância, não é possível ter um sonho sem ser capaz de vê-lo. Como se manifesta algo que não se enxerga primeiro na imaginação?

Desportistas e atletas sabem do poder de criar uma visão de seus sonhos. Você já deve ter ouvido uma série de campeões olímpicos falando que passaram quatro anos imaginando com todos os detalhes o momento em que ganhariam a medalha de ouro. Eles costumam usar a técnica de visualização nos treinos para enxergar tudo aquilo que desejam realizar, além de praticar e desenvolver habilidades específicas.

Layne Beachley
Passei muito tempo como atleta fazendo visualizações. O grande segredo para ser um atleta é desenvolver essa técnica para projetar o resultado desejado.

Pete Carroll
Trabalhamos constantemente com a visualização, imaginando no que podemos nos transformar. Todo o poder advém da capacidade de imaginar o que você quer se tornar. Como poderia chegar lá sem conseguir visualizar? Você nem saberia se aquele é o lugar certo.

"Quando estou prestes a dormir, visualizo a ponto de saber exatamente o que quero fazer: mergulhar, deslizar, dar braçada, alcançar a borda, virar, cumprir o tempo com uma precisão de centésimos de segundo e então voltar a nadar quantas vezes for preciso para ganhar a prova."

Michael Phelps
Campeão olímpico de natação

O mundo dos esportes se agarra a uma das mais poderosas práticas para criar o que desejamos: conceber uma visão precisa do resultado desejado. Apesar de todo o sucesso obtido no esporte por meio dessa técnica, o fato de que é possível empregá-la para ter uma vida bem-sucedida ainda é desconhecido para as pessoas em geral.

Layne Beachley
Eu só conseguia visualizar um resultado, que era subir ao pódio segurando o troféu acima da cabeça, tomando um banho de champanhe. Era tudo o que importava para mim.

A parte mais relevante da criação de uma visão é que se obtém um retrato mental do resultado ou daquilo que é desejado. Dispense todos os detalhes sobre como chegar lá e visualize a realização no seu sonho. Layne Beachley escolheu se imaginar no lugar mais elevado do pódio, tomando um banho de champanhe, porque era uma representação clara do que buscava alcançar: tornar-se campeã mundial.

Michael Acton Smith
Adoro desenhar, fazer esboços, rabiscar. Passava horas enchendo cadernos. Eu rabisco o que desejo conquistar e fazer.

Ao desenhar elementos de seu sonho, sua mente forma, de imediato, uma visão a partir do esboço. Quando faz anotações sobre seu sonho, sua mente logo forma uma visão a partir delas. De um jeito ou de outro, você está visualizando.

Quando preciso fazer algo que nunca fiz antes, não começo sem antes visualizar o resultado desejado. Vejo a imagem na minha mente e fico empolgada como se aquilo já tivesse acontecido. Não penso em como vou realizar, apenas visualizo o resultado. Essa técnica é uma das habilidades mais poderosas e menos conhecidas de que o ser humano dispõe para criar o que quiser na vida. A mente subconsciente adora imagens. Por isso, quando você lhe fornece uma imagem, ela faz de tudo para que se materialize.

G. M. Rao

Meu sonho sempre esteve na minha mente. Desde o início ele estava vivo dentro de mim, e eu buscava colocá-lo em prática mesmo quando não passava de fragmentos de pensamento. Minhas ações partiam da ideia de que o sonho já havia acontecido, e a partir dessas ações eu via os resultados despontarem.

"O sucesso é obtido duas vezes. A primeira, na mente. E a segunda, no mundo real."

Azim Premji
Magnata dos negócios indiano

Peter Foyo

Praticamente nada do que fiz na vida é resultado do meu estudo ou do meu esforço. É um resultado obtido por visualizar e saber que já estava aonde queria chegar.

Enquanto trabalhava na adaptação de O Segredo para o cinema, eu visualizava o resultado desejado várias vezes ao dia. Via tudo com tanta clareza que parecia já ter acontecido. Não tenho a menor dúvida de que a visualização foi o instrumento mais poderoso que usei para tornar O Segredo um imenso sucesso.

PETER FOYO
As pessoas acham que você é um grande mentiroso quando está visualizando. Elas pensam: "Isso não está acontecendo. Não está aqui." Ah, está, sim. Com toda a certeza, porque, se você é capaz de imaginar determinada coisa, ela pode acontecer.

Assim que dominar a visualização do resultado de seu sonho, quando sentir como se ele já tivesse acontecido, você poderá usar a mesma técnica para dar passos menores ou alcançar metas durante a Jornada do Herói. Mesmo se só conseguir visualizar o resultado desejado, essa visão garante que, de alguma forma, você chegará lá.

LIZ MURRAY
Como meu objetivo era tirar a nota máxima em todas as disciplinas, fui à secretaria da escola e pedi que imprimissem meu boletim. Eles estranharam: "Você mal começou. Não há nenhum registro." Respondi: "Quero as páginas em branco mesmo." Imprimiram as folhas com meu nome. Sentei-me na escada e escrevi minhas notas. Parecia que elas já existiam no futuro e que eu tinha apenas que avançar até lá. Ao fazer o

dever de casa, eu pegava aquela página repleta de notas altas e deixava ao meu lado para poder consultá-la. Eu realmente trabalhei a partir de uma sensação de que tudo já era real em outro momento do tempo.

Você pode empregar a visualização em qualquer situação da vida em que desejar se sair bem. Pode visualizar o resultado de provas, seleções, entrevistas, reuniões. Pode visualizar para vender uma ideia, fazer propostas, antes de dar uma palestra, de ser apresentado aos sogros, de fazer uma viagem. Pode até imaginar seu chefe lhe oferecendo o maior aumento na história da empresa!

Não se esqueça de visualizar onde deseja estar no fim deste ano e mantenha uma visão no início de cada ano. Além disso, crie uma visão maior do que deseja para os próximos cinco anos. E veja o que acontece com sua vida!

"É preciso visualizar para onde você se dirige e ter bastante certeza. Tire uma foto do lugar onde você estará dentro de alguns anos."

Sara Blakely
Fundadora da Spanx

John Paul DeJoria

Acordo de manhã e apenas vivo o momento. Em outras palavras, não ligo a TV, não pego uma xícara de café. Não faço nada. Apenas me sento na cama e vivo o momento. Sem decisões para tomar, sem telefonemas a fazer. Por apenas cinco minutos, tento esvaziar a mente e ficar no aqui e agora. Dessa forma, a mente enfrenta o dia sem desordem. Se você tiver um sonho, pense um pouco sobre isso, pense em quanto o deseja, por que o deseja e o que pode fazer para se aproximar dessa conquista.

Ao interromper o frenesi do dia no início da manhã e deixar a mente num estado de completo relaxamento, a visão de seu sonho deslizará direto para o seu subconsciente. É como desligar o computador antes de instalar um programa ou uma atualização: não é possível enquanto seu computador está rodando diversos programas. A mesma coisa acontece com o subconsciente, que não conseguiria receber sua visão enquanto sua mente está ocupada com outras questões. Ao isolar a mente por meio do relaxamento, sua visão será instalada com sucesso.

Quando você usar a visualização da maneira correta, as pessoas à sua volta ficarão surpresas porque tudo parecerá favorecê-lo, tudo funcionará bem, a ponto de você parecer quase sobre-humano. E você saberá que está usando uma das habilidades mais simples e mais poderosas que possui desde que nasceu e que está disponível para qualquer pessoa.

A MENTE DE UM HERÓI

A Mente de um Herói

PETER BURWASH
Ao despertar, é preciso tomar apenas uma decisão importante. Não é escolher o que vestir. Não é escolher o que fazer com o cabelo. A decisão é ter ou não ter uma boa atitude. Porque uma atitude positiva é fundamental.

MICHAEL ACTON SMITH
Tive muita sorte por ser otimista por natureza; acho que isso ajudou bastante.

Uma das maiores lutas que o ser humano trava é com sua atitude. Ao compreender que criará obstáculos para o sucesso, ficará infeliz e poderá até adoecer caso não adote uma atitude positiva, você vai escolher encarar a vida com otimismo. Sua atitude é uma criação exclusivamente sua. E pode ser sua maior desgraça ou sua mais poderosa ferramenta.

LAYNE BEACHLEY
Se quiser que as coisas melhorem, se desejar mudar os padrões que experimenta no momento, aprenda a assumir a responsabilidade por seus pensamentos.

Os pensamentos moldam a atitude, por isso o primeiro passo para mudar de atitude é assumir a responsabilidade por seus pensamentos. Quando for capaz de reconhecer e aceitar que sua infelicidade é resultado do que você pensa, você começará a mudar o que passa por sua cabeça.

Se alguém lhe oferecesse a vida dos sonhos e pedisse em troca que você descobrisse o máximo de coisas boas todos os dias, você aceitaria em um segundo. Pois bem, é assim que se recebe a vida dos sonhos!

PETE CARROLL
Descobri que pensar de maneira positiva e viver com otimismo são as melhores formas de ter sucesso e de criar as coisas que se deseja.

Se você moldar sua atitude a partir da observação das circunstâncias externas do mundo, vai entrar numa encrenca. Isso exigiria que, para desenvolver uma atitude positiva, todas as circunstâncias à sua volta fossem perfeitas o tempo inteiro. E é impossível controlar tudo. Também seria necessário que um monte de gente se comportasse perfeitamente o tempo inteiro, e só é possível controlar a si mesmo. Se você parar para pensar, seria necessário que os mais de 7 bilhões de habitantes do planeta obedecessem seus desígnios para que você pudesse ter uma atitude positiva. É impossível deixar que as circunstâncias externas ditem qual será sua atitude. Se você permitir, vai sempre encontrar um acontecimento ou uma pessoa que lhe darão motivos para ficar negativo. Para se converter na sua ferramenta mais poderosa, sua atitude deve ser ditada *de dentro para fora*.

MASTIN KIPP
Fui otimista nas piores circunstâncias.

PETER BURWASH
Tudo tem um lado positivo e um lado negativo. Os dois estão presentes em todas as situações. A pessoa bem-sucedida é aquela capaz de olhar primeiro o positivo.

Você tem liberdade para escolher ser otimista ou pessimista. Pode se desfazer de sua antiga maneira de ser como se despisse roupas velhas e vestir uma novíssima atitude a cada dia.
É simples assim.

Algo de Bom Está Prestes a Acontecer

PETE CARROLL
Minha mãe sempre dizia que algo de bom está prestes a acontecer. Não percebi logo, mas hoje vejo que levei a vida com a ideia de que, por mais que encontrasse dificuldades e trevas, existe essa esperança consistente capaz de mudar tudo a qualquer momento. Minha mãe me deu esse dom. Ele me ajuda a permanecer positivo e a encarar tudo de um modo otimista. Fui muito afortunado por viver com esse pensamento.

Por causa da dualidade na vida terrena, sempre haverá experiências positivas e negativas. Mas se você procurar pelo que é bom de forma consistente e se mantiver otimista apesar das circunstâncias externas, você triunfará. E não há nada melhor nesse sentido quanto as palavras da mãe de Pete Carroll: "Algo de bom está prestes a acontecer!" Se souber em todos os momentos que algo de bom está prestes a acontecer, seu otimismo nunca vacilará por muito tempo.

G. M. RAO
Minha espiritualidade me ajudou a pensar de forma positiva mesmo quando tudo parecia sombrio.

Pessoas felizes e bem-sucedidas pensam com mais frequência nas coisas boas que podem acontecer, pensam mais em ser feliz, em ter dinheiro e em criar uma vida rica e cheia de significado. Raramente fazem o contrário.

G. M. Rao
Encontrei muita gente bem-educada, oriunda de famílias abastadas, importante na sociedade, que não conseguiu ter sucesso por conta de suas atitudes negativas. A negatividade joga a pessoa para baixo.

Uma atitude pessimista em relação à vida conduz à infelicidade. Em algum momento da sua existência, você sem dúvida conheceu alguém pessimista em relação a tudo. E quando está com essa pessoa, tem a sensação de que sua energia e sua alegria são sugadas. São exatamente esses os efeitos que uma atitude pessimista tem sobre você.

Anastasia Soare
Se você for pessimista e ficar deprimido o tempo todo, seu sonho será aniquilado.

Por outro lado, tenho certeza de que você conhece alguém que está sempre alegre, bem-disposto, animada com a vida. Quando está perto dessa pessoa, você também se sente fantástico e revigorado. São esses os efeitos que uma atitude otimista tem sobre você.

Mostre-me um pessimista que está totalmente feliz com todos os aspectos de sua vida. Não é possível encontrar, porque, mesmo que tivessem tudo o que desejam, para eles, o copo sempre pareceria meio vazio.

Peter Burwash
Duas pessoas são vizinhas. Uma delas se levanta de manhã, abre a janela e diz: "Bom dia, Deus!" Na casa ao lado, a outra pessoa, o pessimista, diz: "Ai, meu Deus, já é outro dia!"

Pergunte a si mesmo se você acredita que culpar alguém e se queixar podem transformar a vida e trazer sucesso e felicidade. Acha mesmo que choramingar e criticar leva alguém a realizar seus sonhos e a encontrar a felicidade duradoura?

Pete Carroll
Uma das regras que sempre se aplica em nosso programa de treinamento é não choramingar, não se queixar e não dar desculpas. Esse tipo de pensamento não ajuda. Isso não vai nos levar aonde queremos chegar.

Já viu o Super-Homem choramingando? Indiana Jones reclamando? E James Bond culpando os outros por seu infortúnio? Você nunca verá os heróis do cinema com esses tipos de comportamento, porque os cineastas sabem que eles não pareceriam mais tão heroicos. E a plateia, por instinto, sentiria algo de errado. Como alguém tão negativo pode ser um herói? E a resposta é simples: não pode.

A culpabilização, o ressentimento, a choradeira e as queixas são desculpas que damos quando não levamos a vida que deveríamos ter.

Liz Murray
Em nossos momentos mais sombrios como seres humanos, começamos a ficar zangados, soberbos e culpamos os outros. Acho que a raiva, a arrogância e a culpa são primas. Indicam alguma coisa que você deveria ter e não tem, e insinuam que alguém deveria ter lhe dado essa coisa. Cresci achando que ninguém me devia nada. Note que tudo o que você possui é uma bênção, pois poderia desaparecer com a mesma facilidade que chegou. É uma atitude bem mais construtiva.

Por existirem pessoas à nossa volta que culpam os outros, que se ressentem, que choramingam e se queixam, podemos ficar com a impressão equivocada de que é assim mesmo, que isso não pode nos prejudicar. Só que todas essas emoções negativas vão jogá-lo para baixo cada vez mais e enfraquecê-lo até que você se sinta um caso perdido. Nenhuma dessas emoções pode preenchê-lo com a felicidade que você deseja e merece. Nenhuma delas o conduzirá ao seu sonho. Nenhuma está à altura do herói que você é.

Laird Hamilton
É impossível ficar animado, feliz, sorridente e achando tudo perfeito o tempo todo. Vai haver ciúme, vai haver inveja. Todos esses sentimentos negativos vão aparecer algumas

vezes. É parte da nossa humanidade. Mas você vai dar espaço para que cresçam ou vai dispensá-los e encher-se de coisas positivas? Como você passa a maior parte do tempo? O que faz, o que pensa, o que diz? É isso que vai lhe dar frutos.

Uma atitude positiva e otimista não evita que se tenha alguns dias de desânimo. Você *terá* dias ruins. E não estamos falando sobre eventualidades, e sim sobre quantos dos preciosos 24.869 dias da vida você vai curtir por ter uma atitude positiva e otimista.

Pete Carroll

Tente viver cada dia com uma mente tranquila, e não sempre duvidando de si e questionando seu valor. Pensamentos negativos como "Não sei se consigo resolver isso", "Isso é demais para mim", "Nunca passei por isso antes" ou "No passado, falhei aqui e ali" tiram o foco do desempenho de que somos capazes. É provável que tais pensamentos habitem nossa mente e por isso não sejamos tão bons quanto poderíamos ser.

Layne Beachley

Tenha consciência de seus sentimentos, pois há momentos em que você se sente negativo, abatido, derrotado, e o mais importante a fazer é aceitar a responsabilidade, reconhecer que esses sentimentos são resultado da sua forma de pensar e então escolher fazer algo diferente para alterar as atuais circunstâncias.

Se você está se sentindo abatido, faça algo para melhorar e levantar o astral. Pense na melhor coisa que poderia fazer e siga em frente.

Layne Beachley

Para me sentir feliz e positiva, primeiro preciso fazer algo que amo e construir um senso de satisfação dentro de mim. Por isso, vou surfar todos os dias. Sei que essa atividade me deixa muito alegre e satisfeita.

A mente de um herói é positiva na maior parte do tempo. A atitude de um herói é consistentemente otimista. Uma mente positiva aliada a uma atitude positiva funciona como uma poderosa ferramenta para a realização de seus sonhos, pois seus pensamentos e suas atitudes se transformam na sua vida!

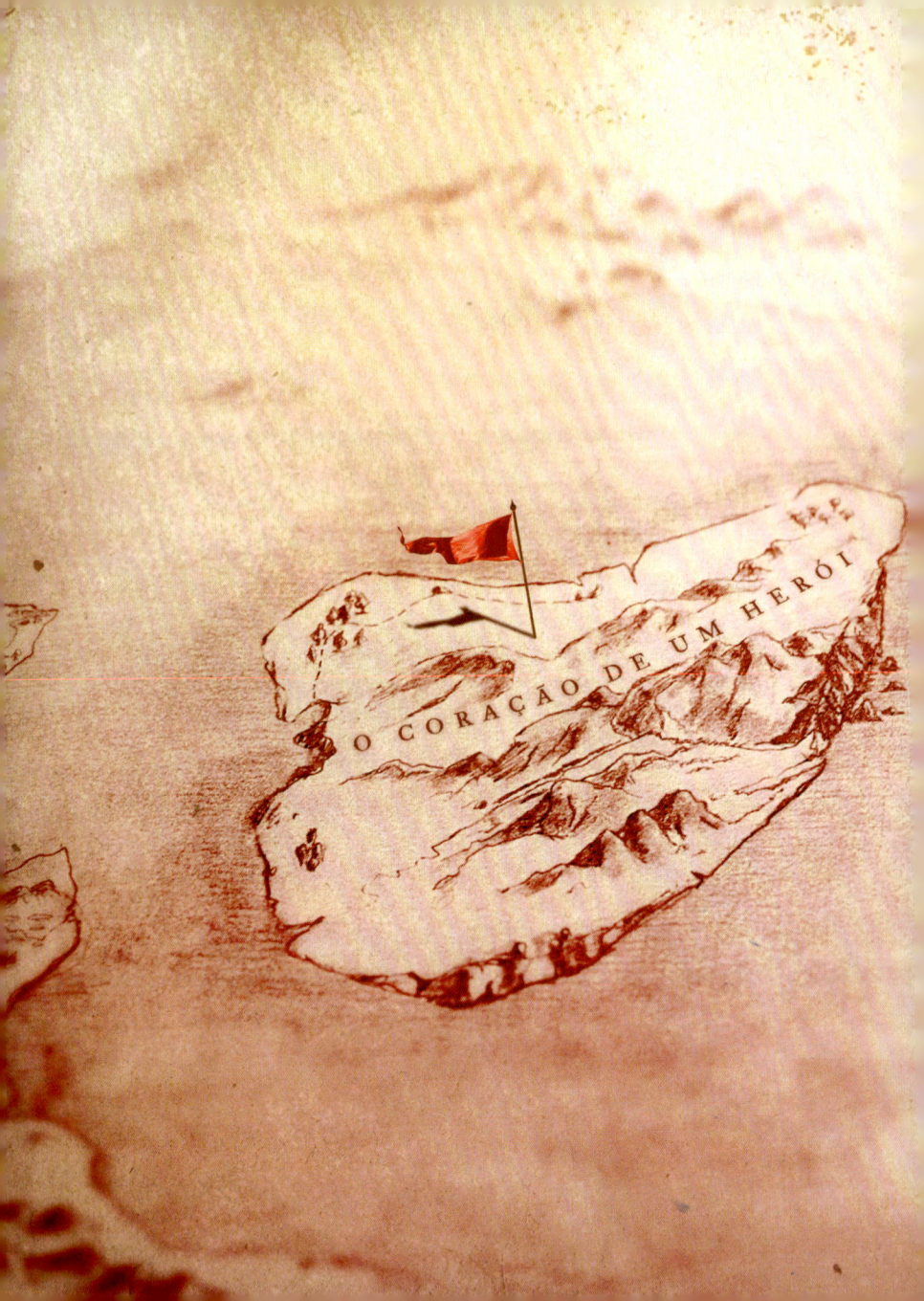

O CORAÇÃO DE UM HERÓI

O Coração de um Herói

Coragem

LAIRD HAMILTON
O medo vive dentro de nós. É parte do que nos faz evoluir.

LIZ MURRAY
Não é possível se livrar do medo, pois é uma reação fisiológica. Pode-se ligar alguém a uma máquina e perceber que está tendo uma reação de medo. Essa reação sempre vai existir.

Embora cada um de nós seja diferente, somos todos humanos, portanto compartilhamos toda uma gama de emoções, como medo, incerteza, dúvida, alegria, paixão, esperança e fé. Você vai experimentar cada uma delas em diferentes momentos da Jornada do Herói. Uma pessoa bem-sucedida também experimentou os mesmos sentimentos de medo, incerteza e dúvida. O medo é igual para todo mundo. Assim como a dúvida. A pessoa bem-sucedida apenas decidiu continuar a seguir seu sonho apesar das emoções. Ela não permitiu que o medo ou a dúvida a paralisasse ou a impedisse de conquistar seu objetivo.

MASTIN KIPP
Se seu sonho é grande ou mesmo bem pequeno, ainda se encontra fora de sua zona de conforto, e sair dela causa medo. Mas o medo talvez seja uma das entidades mais mal compreendidas do desenvolvimento humano. Segundo uma perspectiva biológica, o medo é projetado para nos manter em segurança. O medo é autopreservação.

Experimentamos dois tipos de medo como seres humanos. Mas é importante compreender que o instinto psicológico que protege a sobrevivência não é igual ao medo psicológico.

O medo psicológico é algo criado por nossa mente quando não há riscos para a sobrevivência. Talvez você tenha sentido esse tipo de medo se precisou fazer uma prova de vestibular, sentindo que seu futuro dependia do resultado, ou se fez o exame prático para tirar a carteira de motorista. Pode tê-lo sentido se competiu num evento esportivo ou se precisou fazer um discurso diante de muita gente. Em nenhuma dessas situações havia uma ameaça à sua vida. O medo que você sentiu era psicológico, criado pela sua mente. A maioria das pessoas enfrentará apenas o medo psicológico durante a Jornada do Herói, mas algumas, como os atletas que praticam esportes radicais, podem sentir os dois tipos ao mesmo tempo.

LAIRD HAMILTON
As pessoas dizem: "Você não sente medo." Não é verdade. Acho que sou o mais apavorado de todos. Tenho medo das ondas grandes. Mas a imaginação é sempre maior que a realidade. Sujeitar-se ao que você teme é provavelmente o mais importante para acostumar-se a ele, para se tornar íntimo, e então, sem mais nem menos, ele não tem o mesmo poder de antes.

Nos filmes de fantasia, vemos o herói enfrentar dragões ou monstros que precisa destruir para cumprir sua missão. No cinema, a busca empreendida pelo herói representa a vida e tudo que devemos ultrapassar para realizar nossos sonhos. Os monstros são as dúvidas e os medos dentro de nossa mente, e, como nos filmes, temos que superá-los e não deixar que impeçam nossas conquistas.

O simples ato de fazer algo fora da sua zona de conforto destrói simultaneamente monstros e dragões.

MASTIN KIPP
Se você deseja levar uma vida sem medo, nunca deixe sua zona de conforto. Nunca mesmo. Se quiser crescer – e, em última instância, o crescimento é que traz a felicidade –,

> será constantemente exigido a sair dela. Então, precisamos entender que sentir medo é uma coisa boa.

Quando você se esforça para sair da zona de conforto apesar do medo, ele perde a força e a coragem se expande.

A palavra coragem vem do francês *coeur*, que significa "coração". Ao seguir em frente e fazer algo apesar de sentir medo, a coragem se eleva de dentro de seu coração. É assim que se adquire coragem, e não da forma contrária, na qual você precisa encontrar a coragem antes de agir. Ela nasce quando você realiza atos assustadores! À medida que constrói a coragem, você descobre que aquilo que antes lhe parecia amedrontador já não parece mais.

Layne Beachley
Se você tem a coragem de estabelecer uma meta e a convicção de persegui-la e conquistá-la, você sairá da sua zona de conforto todos os dias. Portanto, parte fundamental do sucesso é estar disposto e ser corajoso o bastante para sair da zona de conforto.

Mastin Kipp
Há um ótimo livro chamado Tenha medo... e siga em frente. *Vi o título e foi o suficiente. Não precisava ler o resto. Eu entendi. É o melhor conselho que alguém poderia dar.*

MICHAEL ACTON SMITH

Certas coisas ainda me assustam. Falar diante de centenas de pessoas é assustador. Conhecer alguém que eu admiro é assustador. Mas você só progride, evolui e se aproxima de seus grandes sonhos ao se colocar nessas situações amedrontadoras. Foi Eleanor Roosevelt que disse "Faça todos os dias algo que o assusta"? Adoro essa filosofia.

Os preparativos diminuem o medo. É fácil entender que, quanto mais se preparar para um teste, uma prova ou um discurso, menos medo você terá. Pois bem, ao preparar a mente para realizar algo visualizando o resultado, você reduzirá o medo que sente. Talvez também descubra que no momento em que começar a fazer aquilo que o assusta, o medo desaparecerá na mesma hora. Isso se provou verdadeiro muitas vezes na minha vida. O medo de fazer era bem pior do que a realidade. E quando se pratica a visualização, a recompensa é um resultado exatamente igual ao imaginado.

Correndo Riscos

Quando lançamos a versão cinematográfica de O Segredo, arrisquei minha carreira, minha empresa, minha casa, minha reputação e tudo o que havia feito na vida. Mas não pensei nisso como um risco. Eu sabia que meu sonho se realizaria.

G. M. Rao
Arrisquei tudo para conquistar meu sonho. Afinal, era um investimento 25 vezes superior ao que eu tinha. Mas nunca pensei que não daria certo. Sempre trabalhei a partir de uma mentalidade de abundância.

Michael Acton Smith
O risco é muito importante. Não nos referimos ao risco imprudente e impensado, mas a apostar em algo de resultado duvidoso que você confia que vai funcionar. Minha filosofia nos negócios é fazer pequenas apostas; se algo funciona, fazemos mais, e se não funciona, sacudimos a poeira e recomeçamos as apostas.

Anastasia Soare
Claro que é assustador, mas estou acostumada a arriscar. Se você não correr riscos, nunca vai descobrir sua força e nunca vai crescer.

Haverá ocasiões na Jornada do Herói em que você será convocado a assumir riscos. Se estiver com medo, mas sentir que é o certo a fazer, vá em frente e se jogue. No entanto, se estiver com dúvidas, não assuma o risco – pelo menos até estar mais seguro do caminho. Quando tiver dúvidas, não faça nada.

Pete Carroll
Fui para a Universidade da Carolina do Sul e vivi um grande momento durante nove anos. Tínhamos alcançado grandes

vitórias e estabelecido muitos recordes. Então apareceu a oportunidade de ir para a NFL e deixar para trás o meu melhor momento. Foi o maior risco que assumi, porque estava indo bem, tinha sucesso, mas aquela era uma oportunidade extraordinária de competir e realizar algo em que os desafios e as reconpensas eram ainda maiores.

O Coração Grato

G. M. Rao

A gratidão é fundamental para chegar ao seu sonho – gratidão pelo que se tem e pelo que virá em breve. É o primeiro passo para o pensamento positivo, uma sensação de "tudo está bem com o mundo" que nos habilita a receber as bênçãos do Universo.

A gratidão é essencial na Jornada do Herói. É uma qualidade tranquila, discreta, mas imensamente poderosa. É a forma de suavizar e acelerar a Jornada do Herói e experimentar circunstâncias milagrosas que parecem cair direto no seu colo.

Layne Beachley

Acredito muito na gratidão, pois coloca tudo em uma perspectiva diferente, permitindo que você esteja presente no momento. É incrível como o Universo continua lhe fornecendo mais felicidade e mais gratidão quando você demonstra gratidão.

Anastasia Soare
Ao despertar, agradeça por ter saúde, por ser capaz de andar, enxergar e respirar.

É possível reduzir e até mesmo dissolver todo tipo de situação aparentemente negativa – como desafios, obstáculos e problemas – por meio da gratidão. Se estiver enfrentando um problema ou chegar a um beco sem saída e não encontrar solução, o ato de profunda gratidão guiará seu caminho. É como se sua gratidão fizesse o Universo emitir um "passe livre" que lhe permite saltar obstáculos. De repente, você descobre que o tal obstáculo encolheu ou desapareceu e que o caminho está desimpedido. Ou surge uma solução e o obstáculo é superado.

Peter Foyo
A gratidão deve estar na vanguarda de tudo o que se faz. Em primeiro lugar, você precisa ser grato por estar aqui. Se existem aspectos positivos na sua vida, sinta-se grato e eles se multiplicarão. Quanto mais gratos nos sentimos, mais eles se multiplicam, e mais pessoas, acontecimentos e situações que não são tão maravilhosos desaparecem. É incrível a relação entre a gratidão que você sente e a rapidez com que as coisas que não estão a seu favor evaporam. Fui testemunha disso inúmeras vezes, em diversas situações.

Se você cultivar um coração grato desde o primeiro passo e mantiver esse sentimento durante todo o caminho, a jornada será bem mais fácil, e qualquer dificuldade será reduzida.

Sem gratidão, você perderá a oportunidade de ter o Universo tramando, planejando, colocando as pessoas certas e as circunstâncias exatas para ajudá-lo a transformar seu sonho em realidade da maneira mais mágica. Pelo contrário: terá uma jornada turbulenta e também deixará de experimentar a alegria que acompanha um coração grato.

Mastin Kipp
O maravilhoso da gratidão é que você sai de si mesmo. Concentra-se no que tem, nas bênçãos que recebeu, concentra-se nos outros, e é daí que provem a realização. Ao cultivar esse sentimento, você não está se concentrando em si mesmo. A infelicidade do "eu" é interrompida.

Michael Acton Smith
O contrário também é verdade. Se focar no lado negativo, nos problemas e nas dificuldades, você entra num beco sem saída e se torna ainda mais tenso, transtornado e infeliz.

Mastin Kipp
A gratidão é essencial para o senso de realização. Sei de muita gente "bem-sucedida" que não é grata. Eu não gostaria de ter a vida delas.

Peter Foyo
Acredito que a gratidão seja um estado de espírito que precisa de manutenção constante. Eu não acho – eu sei. Creio nisso.

Vejo uma diferença notável em todos os momentos em que não mantive meu nível de gratidão.

Michael Acton Smith
Quando estou tendo dificuldades, se estou tomando banho no fim do dia ou tomando um café, aproveito para lembrar as coisas pelas quais sou grato: minha saúde, meus amigos, minha família. De repente, meu ânimo melhora. E acho que a maioria das pessoas bem-sucedidas compreende isso.

Durante as gravações do filme *O Segredo*, nunca saí da cama pela manhã sem dedicar de 10 a 15 minutos à gratidão.

Peter Foyo
Até a senha do meu computador me lembra todos os dias como estou grato e feliz por tudo o que tenho.

Peter Burwash
Uma das coisas mais importantes que aprendi com minha mãe foi a agradecer. No Natal, desde os 5 anos, quando aprendi a escrever, eu não podia sair para brincar até escrever mensagens de agradecimento para todos que haviam me presenteado. Até hoje, ainda tento escrever pelo menos um agradecimento todos os dias.

Layne Beachley
Estava surfando em Noosa, há mais ou menos um mês, e as ondas estavam tão lindas, o oceano parecia tão cálido e

sedoso... Eu me senti tão bem-cuidada e estava me divertindo tanto que de repente fui tomada por uma espantosa sensação de gratidão. Olhei para o mar e pensei: "Isso foi tão divertido!" De repente, apareceu uma onda do nada, e não havia ninguém ao meu lado para disputá-la. Remei e surfei. Foi a melhor onda, a mais longa da minha vida. No final, olhei para o mar e disse: "Obrigada."

Você nunca conhecerá o poder que a gratidão tem de transformar sua vida até ter um coração grato. E aqueles que encontraram a gratidão espalharão a boa-nova, na esperança de que todos possam ouvir.

LIZ MURRAY

Depois do enterro da minha mãe, fui para a casa de um amigo. Estava sentada na sala de estar quando meu amigo Bobby começou a reclamar porque a mãe tinha queimado as costeletas de porco do jantar. Outra amiga reclamava do chefe e outro se queixava de ter parado de estudar. Olhei para eles e pensei na minha mãe naquele caixão de pinho. Olhei para mim mesma e comecei a perceber como tínhamos sorte. Éramos muito abençoados. Porque éramos saudáveis. Estávamos vivos. A gratidão nada mais é do que perceber que você poderia não ter todas as coisas que tem. E tudo entrou em foco. Percebi que era rica, porque, além de estar viva e saudável, eu tinha grandes amigos. Não éramos perfeitos, mas nos amávamos. Houve noites em que pude dormir no sofá ou no chão da casa deles. Dormi muito na praça e sob a marquise na entrada de prédios, mas não ia morrer. Se pensar em todas as pessoas deste planeta e no que elas enfrentam, meu conceito de pobreza não poderia nem se comparar ao de muitas delas. Eu não tinha onde morar nem o que comer, mas percebi meu privilégio.

Intuição

PETER BURWASH

Passei seis anos estudando líderes do mundo inteiro, e 99,9% deles disseram que a intuição é mais importante que a lógica. A lógica é o que você aprendeu. A intuição é quem você é. Não significa que não seja possível ser prático e usar a lógica e o bom senso, mas aquela primeira sensação é, de fato, muito importante.

"Tenha coragem de seguir seu coração e sua intuição. De algum modo, eles já sabem o que você verdadeiramente deseja se tornar."

Steve Jobs
Cofundador da Apple

MASTIN KIPP

A intuição é a ferramenta primária para transformar sonhos em realidade. Se não confiar na intuição, você vai fracassar diversas vezes.

A intuição é uma centelha de conhecimento que chega acompanhada por um sentimento muito forte, irresistível. É um sentimento premente que nos leva a seguir uma determinada direção com alguma coisa que acontece, ou, pelo contrário, nos diz para não seguir determinado caminho. Embora seja sempre um sentimento imediato e forte, as pessoas tendem a desconfiar da incrível mensagem que receberam e permitem que a consciência as convença a não lhe dar ouvidos.

Michael Acton Smith

Tenho grande fé no instinto. Muita gente considera que é apenas um monte de coisas sem sentido e sem fundamento, mas creio que deve haver mais alguma coisa, pois nosso subconsciente capta muito mais do que o cérebro consciente, e o subconsciente fala conosco através da intuição. Quando você tem uma sensação sobre alguém ou sobre alguma situação, é muito importante dar ouvidos a ela. Na minha experiência, tem funcionado mais do que falhado.

Embora a ciência ainda não tenha descoberto o significado nem a origem da intuição, antigos ensinamentos revelaram que ela é a sabedoria oriunda de um nível mais elevado de consciência chamado Mente Universal. Essa sabedoria é transmitida por vibrações para nosso subconsciente. As vibrações são então transmitidas para o cérebro e para glândulas endócrinas específicas, que interpretam essas informações de uma forma que somos capazes de compreender. Isso explica por que o impulso intuitivo chega como uma impressão ou como uma sensação na barriga ou no coração.

Simplificando, a intuição é a forma de comunicação do Universo com você. Da perspectiva da Mente Universal, o que está à frente pode ser visto com exatidão, e o Universo o inspira a seguir certa direção. Não desconfie da mensagem que receber. Não importam quantas evidências pareçam contradizê-la, confie em sua intuição, pois o Universo conhece o caminho.

John Paul DeJoria
Contrato pessoas com base sobretudo na intuição – pelo que sinto em relação a elas. Se estou planejando fazer negócio com alguém, sigo a intuição, pois a alma sente.

Layne Beachley
Subestimamos nossa intuição. Deixamos de confiar em nossos instintos. Cometi alguns de meus maiores erros por não dar ouvidos à intuição ou por ouvi-la e questioná-la. É importante aprender a confiar nela.

Você pode, inadvertidamente, ter fechado as portas para a intuição, como acontece com tanta gente, mas é possível reativar essas habilidades. É o uso que fortalece a intuição, razão pela qual você ouve depoimentos de pessoas de sucesso que dão tanta importância a ela. Essas pessoas confiaram na intuição, seguiram-na e agiram. Com isso, suas habilidades intuitivas tiveram uma expansão significativa. A maioria das pessoas bem-sucedidas toma decisões com base na intuição.

Laird Hamilton
Quando tenho uma intuição, eu ajo. O interessante é que, quando você se conscientiza de que suas ações são inspiradas por essa sensação, você melhora nisso. É uma habilidade que de fato pode ser aprimorada.

Além de confiar mais na sua intuição e segui-la com uma frequência maior, há outra forma simples de aumentar suas habilidades intuitivas: faça perguntas!

Ao questionar, você "recebe" a resposta pela intuição. Comece com perguntas fáceis, que poderão ter confirmações rápidas, como "A que horas tal pessoa vai chegar?" ou "Qual é a cor da roupa que determinada pessoa vai usar hoje?". Quando o telefone tocar, se não estiver por perto, pergunte: "Quem é?" Às vezes, sua mente tentará encontrar a resposta, mas, ao fazer a pergunta, se você mantiver a mente tranquila para que entre no modo de recepção, com a prática, o nome da pessoa ao telefone surgirá em sua cabeça.

Fazer uma pergunta ou pedir uma solução usa o mesmíssimo processo empregado quando a resposta é transmitida para você, mas ao contrário. Sua pergunta é transmitida para fora, para a Mente Universal. Talvez agora você consiga compreender o que acontece aos empreendedores quando pedem para encontrar a ideia perfeita para algo de que o mundo precisa naquele momento. Quando enfim recebem tal ideia, ela acaba sendo *exatamente* do que o mundo precisa!

À medida que aprimorar a intuição, você começará a obter mais e mais vislumbres intuitivos e inspirações para fazer determinadas coisas, e quando descobrir que esses palpites estão certos, como tantas pessoas bem-sucedidas, você confiará na própria intuição e saberá que ela é uma de suas mais poderosas habilidades.

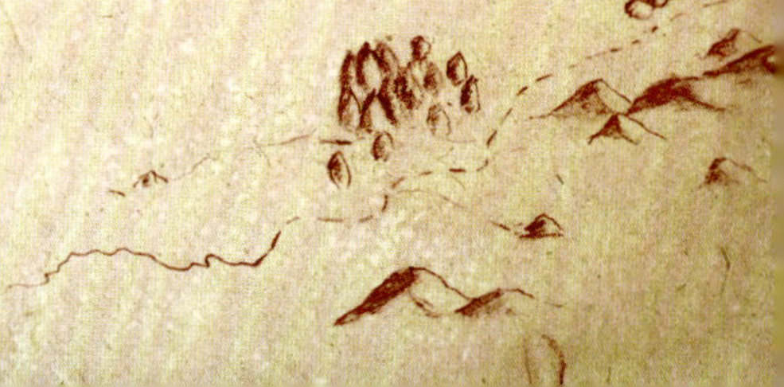

O CAMINHO DO HERÓI

O Caminho do Herói

A Regra de Ouro

LAIRD HAMILTON
Você poderia dizer à minha mãe: "Estou na capa dessa revista" ou "Tive essa conquista". E ela responderia: "Que ótimo. Mas como você anda tratando as pessoas?"

PETER FOYO
Trate os outros como gostaria de ser tratado. Faça para os outros o que gostaria que fizessem a você.

Se não sofrêssemos as consequências positivas e negativas de nossos atos, nunca aprenderíamos nada, não evoluiríamos. Você compreende que há uma consequência se tocar no ferro quente, se dormir até tarde num dia de semana ou se não prestar atenção no tempo que perde ao telefone. O que muitos não sabem é que as maiores consequências que experimentamos decorrem da forma como tratamos as pessoas.

PETE CARROLL
A forma como tratamos as pessoas tem uma importância imensa. Um dos princípios do nosso programa é respeitar a todos. Um exercício muito bom é levar em conta como você trata todos ao seu redor. Isso o conduzirá aonde você quer chegar.

JOHN PAUL DEJORIA
Não ser gentil com aqueles à sua volta não ajuda em nada. Muitas vezes você acha que é uma pessoa boa, mas não é. Não seja perverso. Isso vai criar dificuldades. É a regra de ouro: fazer aos outros o que gostaria que fizessem a você.

"É bom ser importante, mas é mais importante ser bom."

Roger Federer
Campeão de tênis

Não é possível alcançar a verdadeira felicidade quando tratamos mal as pessoas. Estamos todos conectados, somos parte de uma única família e o Universo é para *todos*. Se prejudicamos alguém, estamos prejudicando o Universo. Esse é um grande erro!

Michael Acton Smith

É o certo a fazer – a forma correta de levar a vida. Dizer "por favor" e "obrigado", respeitar os outros, oferecer apoio quando puder. É muito importante.

John Paul DeJoria

A segunda coisa mais importante seria: não espalhe boatos. Você não sabe toda a verdade sobre determinado assunto. E essa não é uma boa vibração para espalhar pelo planeta. Espalhe vibrações positivas. Ao espalhar a negatividade, você torna tudo mais lento e difícil.

Se você presenteia alguém e a pessoa é rude, não agradece nem aprecia seu gesto, você não volta a comprar um presente para ela. Da mesma forma, não seremos premiados com os presentes de fortuna, "golpes de sorte" e grandes oportunidades se formos rudes, ingratos ou maus com os outros. Se você tratar as pessoas com gentileza, não importam as circunstâncias, o Universo devolverá a gentileza. É apenas a forma como a vida funciona para todos nós.

Laird Hamilton

É impressionante. Na mesma medida em que você dá e pratica a generosidade, você recebe e ganha generosidade. Ao dizer isso, parece simples demais para ser apreendido.

Layne Beachley
Tenha consciência de que cada escolha que fizer, cada palavra que disser, cada ação que executar tem uma consequência e um impacto sobre os outros.

Paul Orfalea
Eu acredito em carma. O que se entrega para o mundo será recebido de volta. Em outras palavras, faça boas ações. E sempre pague os impostos.

"A terceira lei de Newton [ação e reação] ou carma – cada um dá o nome que preferir – é algo que já percebi há anos. Chamo de causa e efeito: a energia que você coloca no mundo é devolvida na mesma medida. Em outras palavras, o fruto está na semente. Não é possível cultivar sementes de maçã e colher abacate. As consequências da sua vida são plantadas pelo que você faz e pela forma como se comporta."

Tom Shadyac
Cineasta

Peter Burwash
Muitos dizem: "Não acredito em carma." Pois bem, não faz diferença se você acredita ou não. Vai acontecer.

Quanto mais avançar na Jornada do Herói, maior será seu crescimento e a expansão da sua mente. Ela se expandirá de tal forma que você irá começar a perceber coisas que vão além da vida cotidiana, inéditas. Notará que se fizer uma boa ação ou uma gentileza a alguém, coisas fantásticas acontecerão *com você*. E perceberá que, caso trate mal as pessoas, algo desagradável acontecerá *com você*. Você começará a perceber como a vida funciona ao observar os resultados das suas ações e de outros à sua volta. Conseguirá enxergar os padrões, o funcionamento interno, os ritmos. Começará a ver tudo com clareza onde antes só havia escuridão.

Laird Hamilton

Fui abençoado com o que chamo de carma instantâneo. Se digo algo desagradável, logo em seguida dou uma topada ou bato a cabeça em algum lugar. É um pagamento imediato pela negatividade. Isso faz com que eu me lembre de ser positivo e de dizer coisas gentis, pois são devolvidas na mesma hora. Houve várias ocasiões em que fui para o mar após fazer ou dizer algo para alguém que não era exatamente a coisa mais positiva do mundo e, em seguida, fui aniquilado por uma onda. Mas quando sou positivo, generoso e educado, vou para o mar e sou abençoado com grandes momentos.

G. M. Rao

Meu objetivo nos negócios não se limita aos ganhos financeiros. Acredito que existe um propósito mais elevado que devo realizar ao causar um impacto duradouro na sociedade, e esse é o meu carma. Os negócios são serviços para a sociedade, e qualquer negócio será tão próspero quanto o valor que ele oferecerá à sociedade.

Você já sabe que não se sente feliz quando fala mal de alguém. Esse sentimento horrível lhe informa que seu comportamento está longe de ser digno do herói que existe dentro de você. E há consequências para nossa saúde física e mental e para nossa felicidade.

ANASTASIA SOARE
Não quero fazer coisas que sei que magoarão as pessoas por um único motivo: por minha causa. Porque ficarei tão transtornada e me corroendo por dentro que não vale a pena. Sou mais prejudicada do que elas. E se posso fazer uma coisa boa, vou fazer, sem precisar receber nada em troca.

"Quando você pratica um gesto amoroso, quando emana energia positiva, você se sente feliz. É assim que os seres humanos funcionam. Portanto, o objetivo do carma – se é que existe um objetivo – não é transmitir energia positiva para receber mais energia positiva de volta. É transmitir energia positiva e se sentir bem com sua vida. Esse é o ponto. É por isso que a verdadeira revolução é pessoal."

Tom Shadyac
Cineasta

Humildade

LAYNE BEACHLEY
Se você segue a Jornada do Herói, é muito importante manter um senso de equilíbrio e humildade.

PETER BURWASH
Torne-se genuinamente humilde. Se for humilde, você vai ouvir; se ouvir, vai aprender; e se aprender, poderá ensinar.

MASTIN KIPP
Meu professor me disse que, quanto mais alto se chega, mais humilde se deve ser. Ele me explicou que humildade é permanecer sempre acessível. Não é porque você faz sucesso e tem um best-seller hoje que tudo está garantido.

PAUL ORFALEA
Meu pai sempre me dizia que o maior fracasso acontece quando se deixa que um sucesso suba à cabeça.

Nosso comportamento e a forma como tratamos os outros decidem se seguimos ou não o caminho do herói. O herói é bondoso e humilde, portanto é um caminho de bondade e humildade. Nosso comportamento pode nos fazer avançar ou nos mandar recuar.

A escolha é nossa.

COMPROMISSO

Compromisso

ANASTASIA SOARE
Minha intenção, meu compromisso, era bater à porta, arrombá-la ou entrar pela janela, caso estivesse fechada. Nada me impediria de seguir em frente.

Você automaticamente assume um compromisso se deseja algo de verdade. Não precisa pensar no assunto, apenas mergulha de cabeça. Se há um filme que está ansioso para ver, não há esforço em se comprometer a ir ao cinema. Quando se apaixona de verdade, não há como não assumir o compromisso de ver a pessoa amada.

LAIRD HAMILTON
Uma característica das atividades praticadas no mar é que elas exigem muito compromisso. Não se pega uma onda mais ou menos. Ou você pega ou não pega. Cada

onda, cada descida é um ato de fé e de comprometimento.
Você está dando o salto.

Laird Hamilton sabe como ninguém o que é compromisso. Se precisar de inspiração, assista a um vídeo dele e veja quando se compromete a descer uma das ondas mais perigosas do mundo em Teahupoo, na costa sudoeste do Taiti.

Famosa por ter a onda mais pesada do mundo, Teahupoo produz tubos consistentes que chegam a 6,4 metros de altura e que são espessos como edifícios. Quebram no raso, sobre recifes pontiagudos. A única forma de pegar uma onda lá é ser rebocado por um jet ski e lançado a toda velocidade.

Foi só depois de ter se soltado do cabo que o surfista percebeu a magnitude da monstruosa onda com duas paredes erguendo-se atrás dele. Ele precisou tomar uma decisão numa fração de segundo: surfar ou não surfar. Se Laird não tivesse se comprometido com a onda, é improvável que tivesse sobrevivido àquela montanha de água e aos recifes traiçoeiros. Em vez disso, Laird decidiu romper as barreiras do possível e entrou para a história do surfe.

Liz Murray
É um ato poderoso decidir que o que você tem em determinado momento é o suficiente para começar. Se sempre achar que falta alguma coisa, você vai pensar: "Preciso ter

isso antes de fazer aquilo..." Você não pode ficar esperando a hora certa. Não existe hora certa.

A hora certa nunca é no futuro. É agora. E seu compromisso integral é a deixa que abre as portas para seu sonho. Nunca acontecerá o contrário. Enquanto não assumir o compromisso, você verá apenas paredes.

Michael Acton Smith
É preciso se comprometer de verdade. Não é possível fazer isso pela metade. Quando você está realmente comprometido, cada nervo do corpo, a mente subconsciente e consciente, desperta ou adormecida, está trabalhando para que você conquiste o que deseja. E isso faz toda a diferença.

Laird Hamilton
Ao assumir um compromisso, as situações chegam até você. Gostaria de dizer: "Sou tão esperto, pensei nisso", mas ninguém é tão esperto assim. Essas coisas foram providenciadas porque houve um compromisso com a crença de que era possível.

Layne Beachley
De repente, você recebe guias fornecidos pelo Universo. É como diz aquele grande ditado: quando o discípulo está pronto, o mestre aparece.

Mastin Kipp

Se o compromisso com seus sonhos for total, as portas se abrirão. Na verdade, penso que as tais portas sempre estiveram abertas, mas que só é possível enxergá-las quando você se compromete de verdade.

G. M. Rao

As portas se abriram quando meu compromisso se tornou uma certeza. Posso mencionar quando participamos da licitação para o aeroporto de Délhi. Tínhamos como meta construir o melhor aeroporto do mundo. Esse era o nosso sonho. O projeto atraiu os maiores e melhores desenvolvedores do setor e o processo foi extremamente complexo e exaustivo. Nós nos preparamos com alguns dos parceiros mais competentes, ótimos especialistas e uma equipe muito motivada. Visitamos aeroportos modernos mundo afora e aprendemos com eles. Superamos cada obstáculo e emergimos como o único licitante com qualificações técnicas. E nossa jornada não parou por aí. A licitação precisou superar questões jurídicas que foram até a corte mais alta do país. Os atrasos tornaram o cronograma ainda mais apertado. Seria o quinto maior aeroporto do mundo, um ambiente extremamente complicado, com 58 departamentos a coordenar. Assim que começamos o projeto, tudo correu bem, arrecadaram-se quase 2,5 bilhões de dólares em financiamento e mais de 40 mil trabalhadores e engenheiros de 27 países se juntaram para concluir o projeto em 37 meses, um recorde mundial. O Universo abençoou nosso compromisso e o sonho de construir o melhor aeroporto do mundo. Suavizou o caminho que precisamos percorrer para atingir nossa meta. Hoje estamos em quarto lugar entre os melhores do mundo.

Quando vemos uma pessoa seguir seu sonho, podemos ter a ideia equivocada de que ela deve ter sido privilegiada pela possibilidade de fazer tal coisa. Na verdade, é o contrário. É depois que se decide dar o salto para a Jornada do Herói que os privilégios aparecem. Quando há o compromisso com o sonho, parece que todas as pessoas capazes de ajudar são convocadas pelo Universo para estar no lugar certo com tudo o que é necessário, no momento exato em que você precisa delas.

O Compromisso e o Universo

O namorado da minha filha tinha um emprego estável e sabia que, caso se dedicasse muito por uns 15 anos, teria uma ascensão gradual na empresa. Só que o emprego estava longe de ser sua alegria. Ele se esforçava muito, mas apenas para ter condições de fazer o que ama mais do que qualquer outra coisa no mundo: surfar. Esse jovem tomou uma decisão importante: decidiu seguir a felicidade.

Durante meses, fez planos para deixar o mundo corporativo e começar a se dedicar ao sonho de construir pranchas de surfe. Fiel à sua palavra, pediu demissão no dia exato em que havia se comprometido a fazê-lo. Com nada além de um sonho e seu compromisso firmado, vejam só o que o Universo preparou para ele.

Um *shaper* local, muito bem-sucedido, permitiu que ele frequentasse sua oficina e observasse seu trabalho. Ele recebeu aulas gratuitas de outro *shaper*, que lhe ensinou como fazer algumas ferramentas, para economizar. Um designer ajudou-o de graça a desenvolver a logomarca para o novo negócio. Uma loja de equipamentos de surfe lhe vendeu a preço de atacado os itens de que ele precisava. Ele ganhou do pai equipamentos, luzes e estantes para montar sua oficina. E também recebeu uma proposta para instalar o negócio num lugar com a melhor vista do mar e da costa da Califórnia, coisa que ninguém jamais sonharia, sem pagar aluguel. E por onde vai, tem encomendas de pranchas.

Tudo isso aconteceu em apenas *duas* semanas. Esse é o poder de convocação do Universo quando você assume o compromisso com seu sonho. São esses os "privilégios" que choverão sobre você quando seguir sua felicidade.

Mastin Kipp
Se você tem um sonho, não faça um plano B. Certa vez, Will Smith disse que, quando se tem um plano B, você acaba seguindo esse plano. É preciso focar no plano A por inteiro, com todo o amor, toda a fé, toda a energia, toda a determinação.

Laird Hamilton
Você tem um plano de emergência. Sabe que, não importa o que aconteça, ainda pode dar um jeito. Mas não é um plano que você vá usar. Se começar a dar muita atenção a ele, vai se tornar o plano principal.

Se você criar uma rede de segurança tranquilizadora em sua mente, sabendo que, não importa o que aconteça, tudo ficará bem. Mas, se você criar um plano B, corre o risco de ser o plano que seu subconsciente vai materializar. Deposite toda a sua atenção e se concentre no plano A, e ele vai se realizar!

Determinação

Laird Hamilton
É preciso ser perseverante e implacável ao perseguir seu sonho.

G. M. Rao
No momento em que o compromisso foi assumido, teve origem a determinação de chegar ao sucesso.

Pete Carroll
Nem todo mundo tem a mesma determinação. Quando o obstáculo aparece e as dúvidas começam a espreitar, nem todos têm a mesma disposição para seguir em frente. Mas o potencial existe em todos nós.

Ao ensaiar os primeiros passos, ainda bebê, você caiu centenas de vezes. Quando tentou se alimentar sozinho, levou a comida aos olhos, à bochecha e a todos os lugares menos à boca. Aprender a falar foi uma longa jornada repleta de erros, mas você nunca pensou em desistir. A determinação é parte da sua natureza. Ela existe dentro de você, e é possível encontrá-la de novo.

Michael Acton Smith

Usando nossos recursos, conseguimos juntar o necessário para dar início ao negócio. Mas é difícil. Os bancos não emprestam dinheiro. Ninguém está disposto a se arriscar se você nunca fez nada relevante. É preciso arregaçar as mangas e encontrar um jeito.

Se você possui um desejo ardente de realizar seu sonho, então dispõe de toda a determinação necessária para transformá-lo em realidade. Talvez haja dias em que você se sinta um pouco triste, em que duvide de si mesmo, mas o desejo ardente fará com que você os atravesse. Esse desejo é uma força poderosa que anula qualquer sensação temporária de desânimo e lhe fornece um compromisso e uma determinação capazes de superar qualquer dificuldade. Enquanto fazíamos a adaptação cinematográfica de *O Segredo*, meu desejo ardente e minha fé eram tão intensos que nunca pensei que precisaria de mais determinação, pois um desejo tão forte significava que eu já tinha toda a determinação de que precisava.

ANASTASIA SOARE

Precisei de um cartão de crédito. Fui ao banco e não queriam me dar um porque nem eu nem minha mãe tínhamos um histórico. Falei com o gerente do Wells Fargo, em Beverly Hills: "Se você não me ajudar, como terei crédito? Me dê 500 dólares. Não estou pedindo 5 milhões. Deposito 1.000 dólares no banco e você me dá 500." Ele não queria. Então eu disse: "Olha só, vou atear fogo em mim mesma na frente do banco." Foi assim que ele me deu o cartão de crédito. E até hoje sou cliente desse banco.

A determinação também surge da sua fé em si mesmo. Quando você acredita em si, a determinação vem naturalmente. Os *coaches* e os personal trainers exercem impacto positivo sobre nós porque nos dizem o tempo todo que podemos mais, que podemos alcançar a meta, e insistem a cada passo. A fé que demonstram em nós nos faz acreditar que conquistaremos nosso sonho. E quando acreditamos, temos a determinação para conseguir qualquer coisa. Você pode ser seu próprio *coach*! Pode incentivar a si mesmo dizendo-se coisas positivas. Diga que consegue fazer, que foi capaz de triunfar em tempos mais difíceis, que tem tudo de que precisa, que assumiu um compromisso e que o sucesso da empreitada está em suas mãos. Diga que *será* vitorioso! Seu subconsciente vai ouvir cada palavra e você *conseguirá*!

MASTIN KIPP

Sonhos são como sementes: demoram a germinar. Não acontecem da noite para o dia. Esquecemos que precisamos merecer. Queremos gratificação instantânea, agora, na mesma hora, e, aliás, sem fazer nada, de mão beijada. E os sonhos são conquistados. Se ainda não se realizaram, continue tentando.

Não Desista Nunca, Nunca, Nunca

Laird Hamilton

Desistir é muito fácil. É uma forma de fugir das responsabilidades. Dizer "Sou velho demais, sou isso, sou aquilo" é apenas um jeito de arranjar desculpas para não se esforçar de verdade.

Pete Carroll

Se sentir que está acabado, então é verdade, porque isso não tem jeito. Nunca queremos chegar ao ponto de ficar totalmente sem saída. Há sempre esperança. Para mim, sempre vai aparecer algo de bom.

Liz Murray

Mesmo quando você está repleto de determinação, sempre pode haver um dia em que dá vontade de desistir. Fui rejeitada muitas vezes, ao ponto de quase entrar em depressão. Certo dia, após ser rejeitada pela milionésima vez e riscar vários nomes de faculdades, chegando ao fim da lista, pensei que poucas ainda poderiam me aceitar. Chegou um momento em que tive que fazer uma escolha. No meu bolso,

> só havia dinheiro para pegar o metrô e ir à entrevista de admissão de mais uma universidade ou então desistir e comer uma fatia de pizza. Pizza ou entrevista... o que escolher? Eu me sentia assim: "Não tenho teto, estou com fome. Vão me rejeitar." De repente, minha parte sonhadora pensou: "E se essa for a faculdade que vai me aceitar?" Precisei esquecer a pizza e pegar o metrô até lá. E aquela foi a faculdade que me aceitou. Você nunca sabe quando está perto de alcançar o que almeja. É preciso persistir. Mesmo que não funcione dessa vez, tente de novo.

Vivemos num mundo de dualidade, por isso sempre haverá altos e baixos. Você já deve ter tido aqueles dias em que, por qualquer motivo, se sente desanimado e cada pequeno gesto custa um enorme esforço, como se estivesse tentando se deslocar, passo a passo, num terreno pantanoso. Nesses dias, é provável que você tenha pensado que dispunha de pouca ou nenhuma determinação.

Também deve ter experimentado aqueles dias em que sente uma incrível felicidade, uma grande energia, quando tudo parece possível. Pois bem, esse sentimento disposto e feliz é uma das mais poderosas emoções humanas, pois com ele você não se sente apenas invencível. Você *é* invencível. Quando está cheio de alegria, também está repleto de determinação, pois, sob essa perspectiva, tudo parece fácil. Busque a alegria – siga sua felicidade – e descubra toda a determinação necessária para realizar seu sonho.

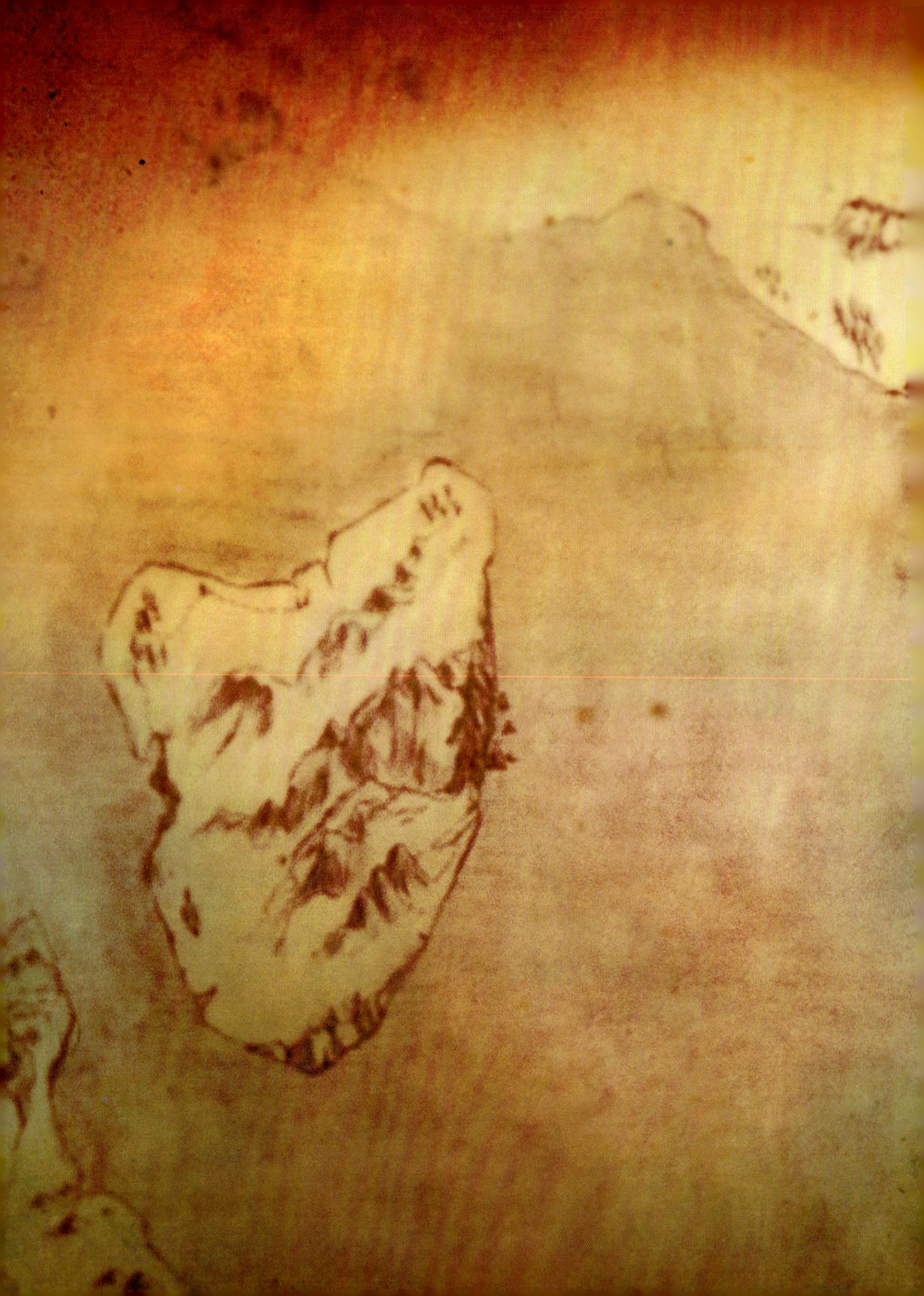

Parte Três
A BUSCA

O LABIRINTO

O Labirinto

LAIRD HAMILTON
A jornada em si nunca será como você imagina. Você tem uma ideia do destino, mas não sabe como é o caminho.

Muita gente desiste de seus sonhos ou nem começa a persegui-los, pois, de seu ponto de vista, não é possível enxergar todo o caminho até o resultado. Você nunca verá o caminho inteiro adiante, por isso nunca saberá como seu objetivo será concretizado. Nenhuma pessoa de sucesso soube *o que* aconteceria adiante. Elas apenas acreditaram que chegariam lá e não desistiram.

MASTIN KIPP
Nunca pensei que minha vida seria como é agora. Sabia a sensação, mas nunca imaginei que seria assim.

O caminho para o sonho é como um labirinto: só é possível enxergar o que se encontra alguns metros adiante. Não dá para ver o que haverá depois da próxima curva até contorná-la. Às vezes, você chega em becos sem saída e precisa dar meia-volta. Em outras ocasiões, aparecem atalhos como se por um passe de mágica, e sua viagem é acelerada. O caminho para o sonho se desenrola exatamente da mesma forma.

LAYNE BEACHLEY
Ninguém consegue ver todo o caminho. É preciso estar disposto a dar o primeiro passo e partir nesta jornada.

MASTIN KIPP
O processo de viver seus sonhos é se aventurar – descobrir o que vem a seguir. Ninguém que você admira, que o inspira, começou a jornada com um resultado previsto. Talvez tivessem uma ideia, uma intenção, um objetivo, mas não faziam ideia de como chegariam lá.

Estar num labirinto é a aventura que você procurava. Você não queria ver tudo, saber de tudo com antecedência, nem ser capaz de estalar os dedos para realizar seus sonhos. O desafio da jornada era seu desejo, porque somente superando os obstáculos seria possível encontrar a verdadeira felicidade e a realização a que todos os seres humanos aspiram.

Anastasia Soare
Há coisas que não funcionarão da forma como você imaginou, por isso é preciso ter a estratégia de mudar – tomar outra estrada. É como um labirinto. Você segue e encontra um beco sem saída. Pois bem, então você dá meia-volta e encontra outro rumo. Ele ainda o levará até o final para concluir seu sonho.

Ao trilhar o caminho dos sonhos, uma parede pode surgir na sua frente. A sensação é de ter encontrado um beco sem saída e de estar liquidado. Mas, como num labirinto, não importa o que pareça, há sempre outra trilha a seguir. Quando você sabe que o sucesso almejado está no meio do labirinto, não se sentirá intimidado por reviravoltas inesperadas, pois o sucesso pode estar na próxima esquina. E é exatamente assim que os sonhos se realizam.

John Paul DeJoria
Perceba que nem tudo pode acontecer ao mesmo tempo. Se realmente deseja algo, às vezes será muito fácil ou muito difícil avançar. Sempre dê pequenos passos.

Liz Murray
Compreendo que as pessoas têm muito o que enfrentar. Mas mesmo em circunstâncias de grandes limitações ainda é possível fazer alguma coisa. É como Theodore Roosevelt disse: "Faça o que puder, com o que tiver, onde estiver." Escolha algo e dedique-se a isso. Ainda que leve muito tempo,

centímetro por centímetro, escolha por escolha, aos poucos você vai esculpindo uma nova vida. Não precisa ser nada dramático, no estilo hollywoodiano.

Um Passo de Cada Vez

Durante a jornada, lembre-se de que tudo o que precisa fazer é dar um passo de cada vez. É tudo o que você *fará*. E não importa onde se encontre ou em que situação estiver, é sempre possível dar um passo. Talvez você se sinta sobrecarregado ao permitir que a mente se perca diante de todas as possibilidades que estão adiante. O caminho para o sonho nunca se desenrolará da forma esperada. Por isso, nunca se esqueça de dar um passo de cada vez. Essas palavras me ajudaram muito durante a adaptação de *O Segredo* para o cinema. Quando meu sonho parecia estar saindo do caminho que minha mente achava que ele deveria seguir, eu me concentrava em dar apenas o passo seguinte, e dessa forma, passo a passo, cheguei aonde queria.

LIZ MURRAY

Se você acha que vai enxergar todos os passos, está enganado. É um erro pensar que precisamos – ou mesmo que poderíamos – controlar tudo. Minha mãe frequentou os Narcóticos Anônimos, e lá todos fazem a oração da serenidade. "Meu Deus, conceda-me a serenidade de aceitar o que não posso mudar, a coragem para mudar o que posso e a sabedoria para distinguir a diferença." E isso é tudo.

Não pude trazer minha mãe de volta. Não pude alterar o diagnóstico de HIV positivo de meu pai. Não pude controlar o clima. É possível fazer uma lista de todas as coisas que não se controlam, e, se você dedicar sua energia a elas, vai desperdiçá-la. Em vez disso, pergunte-se: "Ok, o que posso fazer?"

Michael Acton Smith

Tenho dado um passo de cada vez. Ocasionalmente, dei passos para trás e encontrei becos sem saída. Se você mantiver aquela grande visão na mente e a crença de que chegará aonde quiser, acabará chegando lá.

Exatamente como num labirinto, um dia você vira a esquina e, de repente, percebe que chegou aonde queria. E assim seu sonho se realiza.

Ao realizar sua aspiração, você é capaz de olhar para trás e repensar a jornada que trilhou. Perceberá então que cada parede o obrigou a tomar um caminho alternativo, que muitas vezes o levou a encontrar uma versão ainda mais aprimorada de seu sonho, algo que você nem imaginava ser possível. Na verdade, não existem paredes. Existe apenas a *aparência* de paredes. Não existem becos sem saída. Existe a *aparência* de becos sem saída. São apenas desvios com o propósito de redirecioná-lo a uma versão mais grandiosa de seu sonho.

G. M. Rao

Na minha jornada de quatro décadas, uma série de coisas não saiu como o previsto. Não hesitei em parar e mudar de curso com a mente aberta. Tivemos uma experiência recentemente, quando adquirimos 50% de uma gigante internacional da energia por mais de 1,2 bilhão de dólares. Quando as coisas não seguiram o rumo esperado e nossas aspirações não estavam em harmonia com as de nossos parceiros, decidimos sair, mesmo quando isso significava um revés temporário. No entanto, olhando para trás, concluo que conseguimos mais do que compensar esse desvio. Se existe pureza de intenções, o Universo encontra uma forma de recompensá-lo.

Se seu compromisso começa a vacilar em algum momento da Jornada do Herói, por causa de decepções, rejeição ou de algo que não funcionou do jeito imaginado, é nessas horas que você precisa se lembrar de que está sendo impulsionado em direção a seu sonho da forma que trará os resultados mais grandiosos.

Mastin Kipp

Como empreendedor, por vezes faço algo parecido com girar no próprio eixo. Isso quer dizer que se uma coisa não funciona, eu me viro – implemento o que aprendi e desenvolvo algo novo. E a Jornada do Herói trata exatamente disso: ver o que funciona, mudar o que não funciona, tentar de novo e, no fim das contas, chegar lá.

JOHN PAUL DEJORIA
Os sonhos mudam. Quando abri a John Paul Mitchell Systems com meu sócio, em 1980, pensávamos: "Se conseguirmos faturar 5 milhões por ano, cada um de nós vai tirar entre 200 mil e 250 mil, o suficiente para resolver nossa vida." Pois bem, chegamos a esse ponto, nossa empresa cresceu e nossos sonhos mudaram e cresceram. Por isso, também é importante saber que, quando concretiza um sonho, você parte para outro. É uma evolução.

Pode contar com uma coisa ao seguir seu sonho por todas as curvas empolgantes da Jornada do Herói: ele nunca será menor do que o imaginado. Apenas se tornará mais grandioso, de formas que jamais lhe ocorreram.

OPOSITORES E ALIADOS

Opositores e Aliados

Peter Foyo

Todo mundo encontra pessoas do contra. Para criar um negócio do tamanho do meu, precisei competir com os maiores céticos do mundo.

Peter Foyo enfrentou descrença vinda de todas as direções: dos investidores em potencial, da concorrência, das autoridades que poderiam ter impedido que ele realizasse suas aspirações. Apesar de todas as dificuldades, hoje a Nextel México tem uma força de trabalho de 17 mil funcionários que atendem a 4 milhões de clientes com o que há de mais moderno no ramo das telecomunicações. A partir da infância vivida como filho de imigrantes esforçados, Peter conquistou seu enorme sonho para a Nextel em menos de cinco anos, com apenas 38 anos. Com Peter à frente, a Nextel México continuou a crescer rapidamente na última década e se transformou em um negócio multibilionário.

Mastin Kipp

Os opositores fazem parte da jornada. Reconheça que, se tiver sucesso, se fizer algo muito bem, algumas pessoas vão amá-lo e outras vão odiá-lo. Considero isso um sinal do sucesso.

Cada indivíduo que fez algo inédito precisou enfrentar centenas e centenas de pessoas que diziam que era impossível realizar suas aspirações. O que acha que disseram para Thomas Edison quando ele anunciou que inventaria um dispositivo capaz de iluminar um aposento inteiro? O que acha que disseram para Graham Bell quando ele falou que estava inventando um instrumento que permitiria que duas pessoas se comunicassem mesmo se estivessem separadas por milhares de quilômetros? Pode confiar que, se seu sonho for grande, aparecerão muitos opositores. É a prova de que você *consegue* realizá-lo!

Anastasia Soare

Em 1995, eu andava tão ocupada que pensei: "Preciso abrir uma loja em Beverly Hills." Procurei o senhorio e ele falou: "Está maluca? Você não vai ganhar dinheiro suficiente para pagar o aluguel fazendo sobrancelhas." Ele não queria me alugar o espaço, mas viu que eu era tão doida que acabou concordando: "Tudo bem. Vou lhe dar seis meses." Pois bem, na primeira semana havia uma fila do lado de fora da loja. Um dia ele telefonou. "Nunca vi nada parecido. Tem certeza de que só esta fazendo sobrancelhas mesmo?"

Laird Hamilton
Os opositores estão sempre presentes. Como uma pessoa sensível, você sempre será afetada. O que importa é o que você vai tirar disso. Não se torne uma vítima, porque então eles terão conseguido o que queriam.

O efeito das palavras negativas dos opositores é por *sua conta*. Só a você cabe decidir como reagir. Se permitir que as palavras de um deles o atinjam, vai abrir a porta para outros opositores, por isso não deixe que o perturbem. É o efeito oposto ao que eles pretendem, mas, em vez de detê-lo, as palavras deles podem lhe dar uma energia renovada que o impelirá e conduzirá até a realização de seu sonho.

Peter Foyo
É espetacular a sensação de usar um opositor como motor para o sucesso. Na verdade, eles dão um empurrão para que você seja mais feliz e mais bem-sucedido mais depressa.

Laird Hamilton
Usei muitos de meus opositores como combustível. Eles diziam: "Você não vai conseguir fazer isso!" Eu ouvia: "É isso aí, eu consigo!" Aquilo me fazia ir em frente. Virei tudo de cabeça para baixo e transformei o negativo em positivo, porque no meu mundo os opositores e os descrentes eram numerosos. Ainda são.

Peter Burwash

Nunca me deixei abalar pelas críticas, pois eu sentia que estava seguindo o caminho certo.

"Tantas vezes ouvi que não podia dar certo... Muitas e muitas vezes precisei usar todas as migalhas de perseverança para chegar lá."

Howard Schultz
Presidente e CEO da Starbucks

Os opositores também podem redirecionar seus passos para um caminho melhor. Talvez você tenha fixado na mente a forma como pensa que seu sonho vai acontecer. Ao seguir esses passos, você esbarra em opositores que são tomadores de decisão e que interrompem seu progresso. Sem poder avançar, você é obrigado a procurar outro jeito e encontra um caminho alternativo para realizar seu sonho de uma forma melhor – graças aos opositores. Abençoados sejam!

Peter Foyo

Quando encontro pessoas extremamente negativas, elas, na verdade, apontam a direção em que devo seguir. Conduzem-me ainda mais depressa para o rumo certo, em vez de me fazer recuar.

Peter Burwash

Quando eu estava jogando no Canadá, o presidente da associação de tênis na época me escreveu uma carta dizendo: "Você deveria desistir do jogo, porque é muito ruim." E, em vez de enxergar uma barreira, encarei-a como um desafio. Quando voltei ao Canadá para jogar no campeonato nacional, estava pronto para trocar de lado na quadra e fazer o saque para o último game da partida. Peguei a carta em que o sujeito dizia que eu era muito ruim e lá estava eu, prestes a vencer o campeonato.

Ignore a Multidão Trivial

Um conselho valioso para sua jornada é consolidar a fé e a convicção em si antes de contar sobre seu sonho para outras pessoas. Se você começar a contar cedo demais, pode desanimar com as reações e desistir antes de ter realmente começado. Isso já aconteceu com muita gente e pode até já ter acontecido com você. Teve uma grande ideia de fazer algo que não era bem sua especialidade e falou com os outros, que o encheram de dúvidas. Então, a ideia e o sonho ficaram para trás antes mesmo de saírem do papel. Algum tempo depois, por vontade do destino, você descobre que a grande ideia que teve se materializou por meio de outra pessoa – e se tornou um grande sucesso.

John Paul DeJoria

Preste atenção no que aquelas poucas pessoas fundamentais dizem. Ignore a multidão trivial.

Liz Murray

Tenha cuidado ao permitir que outras pessoas definam as coisas por você. Cada um tem sua opinião e dita depressa o que é possível e impossível para você. É uma infelicidade que falem com tanta convicção. Ninguém sabe o que é possível até fazer.

"Fique longe das pessoas que tentam diminuir suas ambições. As pequenas sempre fazem isso, mas as realmente grandes fazem você sentir que também pode se tornar grande."

Mark Twain

Escritor

Quando decidi fazer O Segredo, não contei meu sonho para ninguém até que estivesse completamente formulado em minha mente. Passei quatro meses pesquisando, planejando e integrando-o dentro de mim, até saber que ninguém poderia me dissuadir. Só então compartilhei com os outros. Naquele momento, mil opositores poderiam ter dito que meu sonho nunca se realizaria e nenhum deles me afetaria.

Trabalhe em seu sonho, trabalhe em sua fé nesse sonho e formule o que deseja em sua mente até visualizá-lo com clareza. Só então divida seu sonho com outras pessoas.

Layne Beachley
Quando eu era mais nova e surfava em Manly Beach, havia dois sujeitos à minha direita me dizendo para sair da água e dois à esquerda dizendo: "Achamos você o máximo e gostamos de surfar com você." A quem eu deveria dar ouvidos? Aos sujeitos à esquerda, é claro.

Pete Carroll
O que me deu força para superar de verdade a demissão e me tornar mais forte foi o fato de que não sancionei a decisão. Simplesmente não aceitei. Desafiei a ideia de que meus empregadores tinham razão e sabia que eu deveria confiar em mim.

A verdade sobre gente do contra é que costumam ser pessoas com a mente fechada e que não tentam levar a vida da forma mais plena. Se vivessem cumprindo todo o seu potencial, saberiam por experiência própria que tudo é possível.

John Paul DeJoria
Quando eu estava no colégio, meu professor disse para mim e para minha amiga Michelle, na frente da turma inteira, que nunca seríamos nada na vida. Sabíamos que ele estava errado. Certamente faríamos algo da nossa vida. Michelle se

tornou uma celebridade. Estou falando de Michelle Phillips do grupo The Mamas & the Papas.

Tive muitas experiências com opositores durante a adaptação cinematográfica de O Segredo, mas uma se destacou. Estava fazendo uma apresentação da primeira versão editada a um grande grupo de executivos da televisão. Chegar até ali me custou um ano de trabalho e todo tipo de sacrifício. No final da exibição, os executivos reagiram sem tecer nenhum elogio. Pelo contrário, foram críticos severos e encontraram defeitos em todos os aspectos do filme. Saí da apresentação em estado de choque, atordoada, e vaguei pelas ruas. Acabei me recuperando e fui até o aeroporto para voltar para casa. Naquele voo de uma hora, percebi que não havia como atender a todas as infindáveis críticas. Nem precisava. Quando o avião pousou, eu tinha inspirações para fazer algumas mudanças. Seguimos as ideias e elas foram exatamente o que fizeram do filme um imenso sucesso.

Aliados

Embora seja praticamente inevitável encontrar opositores durante a Jornada do Herói, também é seu destino ter muitos, muitos aliados, anjos que já estão na sua vida ou que aparecem, mesmo de forma breve, para apoiá-lo e ajudá-lo no caminho.

Mastin Kipp
Não acredito que exista algo como um sucesso fabricado sozinho, uma pessoa que faz sucesso sozinha, pois todo mundo teve ajuda no caminho.

Layne Beachley
Todas as pessoas bem-sucedidas realizaram suas conquistas com o apoio de outras, e é importante lembrar, por mais sucesso que se tenha, e perceber quem o ajudou nessa jornada.

Ninguém realiza seus sonhos sozinho. Um número indizível de pessoas vai apoiá-lo e moverá mundos para ajudá-lo no caminho até seu sonho. De todas as experiências que temos na Jornada do Herói, talvez as surpresas mais maravilhosas sejam aquelas vindas de pessoas conhecidas e de outras que você mal imagina quem sejam, mas que lhe dão apoio e ajuda em seu percurso.

Michael Acton Smith
Eu trabalho com imensas redes de apoio. Desde minha família inteira aos investidores que aplicaram dinheiro no negócio, passando pelos funcionários que vieram trabalhar para mim quando as ideias não passavam de rabiscos em um guardanapo.

Layne Beachley
Certamente foi muito desafiador estabelecer, aos 8 anos, a meta auspiciosa de conquistar um título mundial. Houve ocasiões em que eu quis desistir e largar tudo, jogar as mãos

> *para o alto e dizer: "É difícil demais!" Por sorte, nesses momentos difíceis, tive pessoas que me animavam e que repetiam: "Você consegue. Eu acredito em você." E quando alguém que você admira e respeita diz que acredita em você, isso inspira muita fé. É muito importante estar cercado por essas pessoas.*

Enquanto filmávamos O Segredo, inúmeras pessoas apareceram em nossas vidas e nos ajudaram a concretizar o passo seguinte. Além de todos aqueles aliados, pude contar com um time que trabalhou ao meu lado para criar o filme, e, sem essa dedicação e esse apoio, meu sonho nunca teria se realizado.

Houve um tempo em que não tive dinheiro suficiente para pagar o salário da minha equipe. Tinha hipotecado minha casa, feito saques a descoberto e zerado o limite de todos os cartões de crédito para manter o andamento da produção. Mesmo depois de tudo isso, chegou o dia doloroso em que eu não tinha como pagar as pessoas que trabalhavam para mim. Sabe o que elas fizeram? As que tinham um cargo mais alto se juntaram e retiraram dinheiro para pagar as que não poderiam sobreviver sem o salário. Sem dúvida, os integrantes da minha equipe foram meus maiores aliados.

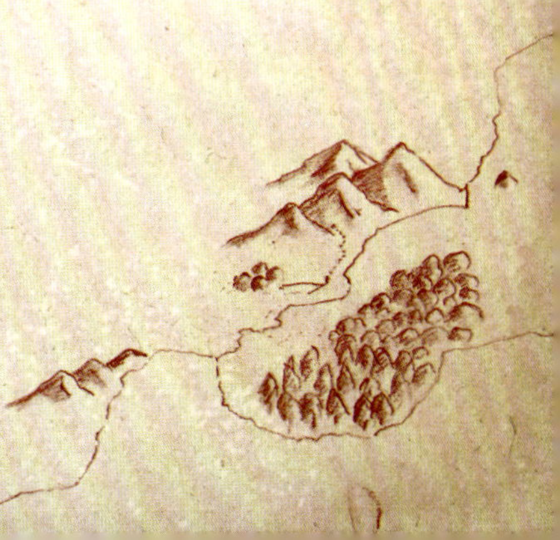

A ESTRADA DAS PROVAÇÕES E DOS MILAGRES

A Estrada das Provações e dos Milagres

ANASTASIA SOARE
A vida é um desafio. Se pensa que ela é suave e perfeita, ou você se engana ou quer se iludir.

PETER BURWASH
Todos os dias trazem obstáculos. Não há ninguém que se levante pela manhã sem ter algum problema físico, mental, emocional ou espiritual. Aceite que existirão obstáculos. Todo mundo os enfrenta. As pessoas perguntam: "Por que eu?" Mas por que não você?

"O caminho até sua meta não será sempre tranquilo. Surgirão obstáculos e problemas, mas é preciso ter seu objetivo em mente... Não se esqueça do quadro geral nem deixe que pequenos incidentes ou pequenos fracassos o detenham."

Derek Jeter

Campeão americano de beisebol

Desafios e Obstáculos

Cada obstáculo ou desafio encontrado durante a Jornada do Herói o transforma, à medida que você adquire força de caráter e as qualidades e habilidades necessárias para superar os impedimentos. O surgimento dessas qualidades e habilidades molda você no tipo de pessoa que precisa se tornar para realizar seu sonho. Por isso, encontrar barreiras é um bom indício de que você está no caminho certo. Aliás, quanto maiores os obstáculos e os desafios, mais sucesso você terá e mais próximo estará de atingi-lo.

MASTIN KIPP

A maior recompensa dos desafios não são os bens materiais que obtemos quando os superamos, e sim as transformações que sofremos. Ao superar uma dificuldade, você passa a ter mais fé em si mesmo, em suas habilidades, tem mais confiança no divino e torna-se capaz de fazer algo ainda maior. Superar obstáculos talvez seja o maior de todos os bens – muito maior do que qualquer coisa que possa comprar. Porque é algo que nunca será tirado de você.

Peter Burwash
Após superar uma série de decepções, desafios, cambalhotas, naufrágios e todo tipo de tropeço, você sempre sairá melhor do que quando entrou, pois conquistará uma tremenda autoconfiança.

Se houve algum momento em sua vida em que não havia outra escolha além de superar uma enorme dificuldade, você já teve a oportunidade de descobrir forças que até então lhe eram desconhecidas. Conquistar essas forças forma seu caráter e o transforma em alguém superior. As mães sabem disso. Elas precisam ser fortes para cuidar do bebê e para criá-lo. Precisam de paciência, tolerância, determinação e resistência física. A experiência do trabalho de parto e do nascimento as prepara para a maternidade com as forças e as qualidades necessárias para dar conta do recado. Pela força que demonstram nas horas mais difíceis, muitos consideram as mães verdadeiras heroínas.

Mastin Kipp
Quando você realmente vai em frente e aceita o desafio, ao superá-lo, uma parte de você começa a dizer: "Caramba, você conseguiu!" Não dá para ficar sentado na poltrona e dizer "Eu me amo". A autoestima é conquistada.

Layne Beachley
Desafios e obstáculos presenteiam-nos com a oportunidade de crescer, de nos desenvolver e de aprender. É a chance

de sair da zona de conforto e experimentar o que a vida verdadeiramente tem a oferecer.

O propósito de desafios e obstáculos na Jornada do Herói é nos preparar com as qualidades e as habilidades de que precisaremos para manter nosso sonho quando ele se realizar. Sem a capacidade de lidar com o sucesso, o sonho se desfaria como fumaça assim que fosse alcançado. Portanto, as dificuldades são a preparação para o sucesso.

G. M. Rao
O curso da minha jornada no mundo dos negócios tem sido como o fluir de um rio – cada obstáculo me fez mudar o rumo para que fosse possível, no fim das contas, alcançar meu destino. Toda a minha vida foi repleta de desafios. Cada um deles foi uma coincidência significativa e abriu uma porta para uma oportunidade anda maior.

John Paul DeJoria
Os desafios e os obstáculos nos dão uma educação completa e fazem parte de nosso sucesso. Tantas coisas na minha vida não saíram do jeito que eu queria, mas, ao passar por esse processo, percebi: se não tivesse tido essa experiência, mais tarde eu não seria tão feliz nem tão bem-sucedido quanto sou agora. Na vida, há certas coisas que vão acontecer e que servirão de lições para conduzi-lo até a recompensa suprema.

Se eu refletir sobre minha jornada, os obstáculos e os desafios que encontrei não foram nada diante das dificuldades que enfrentei antes de decidir correr atrás do meu sonho. Quando se tem um propósito e se segue um sonho, os obstáculos e os desafios não parecem tão difíceis nem tão complicados como eram quando não existiam objetivos. Sem um propósito, os desafios e os obstáculos parecem não ter uma razão de ser, parecem apenas uma questão de azar. No entanto, eles têm um propósito: você precisa evoluir. Mesmo se tentar se esconder da vida, ainda enfrentará desafios e dificuldades.

Peter Burwash
Minha filosofia básica tem sido: se algo de bom acontece, eu sou grato; se algo de ruim acontece, considero parte do aprendizado.

Desafios e obstáculos são difíceis para todos, mas apenas enquanto você não encontra uma forma de superá-los. Você nunca receberá um desafio se não tiver a capacidade de superá-lo.

Peter Foyo
Os estados mentais superam os obstáculos. E minha mente está programada para a felicidade e para a gratidão. Sempre foi assim. Também tomei a decisão de compartilhar muito do ponto de vista financeiro, e quanto mais se compartilha, mais os obstáculos desaparecem.

Peter Foyo atribui seu sucesso a um punhado de princípios que praticou religiosamente para realizar seu objetivo. Nenhum obstáculo que encontra o detém. Ele mantém uma atitude positiva e feliz pela constante prática da gratidão. Ajuda os outros sempre que possível. E, ao ser confrontado por qualquer dificuldade, ele usa uma das maiores habilidades do herói: a visualização.

Peter Foyo
Houve obstáculos criados pela concorrência, pela corrupção, pelos reguladores, mas realmente não os sinto. Sinto o resultado. Sinto para onde estou indo. Um obstáculo é uma espécie de desvio. Digo: "Tudo bem, então como vamos contornar isso?" Visualizo algo diferente.

Visualize o resultado desejado e receberá a solução para um problema ou a melhor forma de superar um desafio. Para ouvir a solução quando ela chegar, sua mente precisa estar livre de preocupações.

Imagine estar perdido e pedir orientação a alguém. Enquanto a pessoa dá instruções e tenta ajudá-lo a sair da dificuldade, você não para de falar sobre o fato de ter se perdido, sobre o problema que é estar perdido, como andou tentando descobrir uma saída e como está com medo de nunca encontrá-la. Você não conseguiria ouvir as instruções! Se sua mente estiver repleta de preocupação e angústia, você não será capaz de ouvir a solução fornecida pelo Universo.

Liz Murray

Às vezes eu acordava no chão da casa de um amigo. Tinha que chegar cedo para uma aula e precisava de motivação. Então eu visualizava uma corredora. Acho que devia ser eu, mas eu só a via de costas. Ela estava correndo sozinha na pista. Eu via aquelas barreiras físicas e ela pulava todas, uma a uma. Ficava pensando na corredora para conseguir me levantar e dizia: "Pois bem, você está cansada, isso é um obstáculo. Fez seu trabalho ontem. Saltou uma barreira. Vai pegar o trem até lá sem tomar café da manhã. Barreira, barreira, barreira." E eu a via saltar com as costas musculosas, suando sob o sol. E se a dificuldade que eu tinha à minha frente fosse apenas mais uma dessas barreiras? A barreira não está dissociada da pista. Sua existência não significava que eu estava no caminho errado. Tudo aquilo era parte do percurso, e no final, se eu saltasse aquelas barreiras, alcançaria a linha de chegada.

Michael Acton Smith

Não sabia como, mas nos momentos mais difíceis, por acreditar tanto naquele produto, eu sabia que ia arrasar. Se você for persistente e fizer um pedido ao Universo... ele realiza!

John Paul DeJoria

Um entrave para o sucesso é desistir quando há rejeição. Para ser bem-sucedido, é fundamental estar preparado para muita rejeição e não se deixar afetar. Muita gente não está preparada quando começa algo novo. Chega à conclusão de que é fracassada e para. Se todas essas rejeições não acontecessem, eu nunca teria fundado a John Paul Mitchell Systems.

Fracassos e Erros

"Cometemos erros. Não seria divertido se não os cometêssemos. Se eu saísse por aí, jogasse golfe e acertasse todos os 18 buracos, não ia continuar jogando golfe por muito tempo. Quer dizer, é preciso passar por algumas dificuldades para tornar o jogo interessante. Desde que não sejam frequentes demais."

Warren Buffett
Investidor e magnata dos negócios

Layne Beachley
Se você se der ao trabalho de refletir sobre alguns de seus erros e fracassos ou reveses e desapontamentos, vai perceber que são partes necessárias da jornada.

Paul Orfalea
Como é que um bebê se levanta e cai? É preciso um bocado de coragem. Todo o processo de sair do zero tem muitos obstáculos. Mas você aprende com os erros.

Laird Hamilton
É preciso estar disposto a se sujeitar ao fracasso. Sei que para mim as maiores lições vieram dos fracassos, não dos sucessos. É o que nos aproxima do nosso sonho.

Se você não adquiriu as qualidades necessárias de discernimento e bom julgamento para concretizar seu sonho, os fracassos e os erros vão garantir que as desenvolva. Você pode confiar em uma coisa por causa do que alguém disse e a tal coisa dá errado. Pode tomar uma decisão sem pensar e descobrir que cometeu um grande erro. Ao refletir sobre o erro ou o fracasso, porém, vai perceber que havia sinais de alerta que você ignorou e que diziam que havia algo errado. Em outras palavras, você ignorou sua intuição.

Layne Beachley
Os erros são uma oportunidade de aprendizado; o único erro é não aprender a lição da primeira vez. E a melhor coisa sobre o Universo é que ele vai lhe fornecer a mesma lição até que você aprenda.

Talvez você perceba que precisava ter feito sua própria pesquisa e não confiar cegamente na opinião dos outros. Ou entenda que precisava pensar com mais calma antes de dar um grande passo.

> "Aprendi mais com um restaurante que não funcionou do que com todos os outros que tiveram sucesso."
>
> *Wolfgang Puck*
> Empresário

G. M. Rao
Devemos celebrar os fracassos, pois são fruto da ação e se tornam o melhor terreno para o aprendizado. E devemos nos concentrar naquela lição para não repetir os erros. Para encorajar novas ideias, novas abordagens, experiências e inovação, um erro não deve ser censurado.

Quando você se responsabiliza por seus erros e fracassos, sem culpar ninguém, e encontra as lições escondidas dentro deles, os dois tornam-se ferramentas poderosas para que você avance na Jornada do Herói. Erros e fracassos são inevitáveis; fica a seu critério extrair ou não a magia que eles contêm.

Laird Hamilton
Existe um processo que segue uma fórmula. Primeiro, é preciso acreditar que é possível. Em seguida, é preciso estar disposto a falhar. Você vai se levantar e tentar de novo, e logo vai dizer: "Nossa, estou conseguindo." E depois: "Estou melhorando um pouquinho." E ainda: "Sou bom nisso." Logo você alcança o topo e percebe que o objetivo não era alcançar o topo. O importante era o processo. E você vai se viciar nesse processo.

Milagres

PETER BURWASH
Sou muito grato por tudo que me aconteceu, e percebi que não somos independentes. Somos muito dependentes. Não falo do oxigênio. Dependemos de sorte, de um bom timing e de outras pessoas.

A Jornada do Herói pode ter provações, mas, ao longo dela, você também vai viver milagres. Na verdade, eles superam as provações. Na minha experiência, a magia e os milagres que aconteceram quando eu estava a caminho de realizar meu sonho foram tão empolgantes quanto concretizá-lo. Quando o Universo começar a lhe oferecer coisas de um jeito que nenhuma mente humana poderia fazer, eu prometo, ele vai deixá-lo sem fôlego. Você se perguntará diversas vezes: "Como isso aconteceu?!"

LIZ MURRAY
Eu dormia nas ruas e cometia furtos. Não é o melhor comportamento do mundo, mas eu precisava comer. Também ia à Barnes & Noble e furtava livros de autoajuda, que eu ia ler nas escadas de incêndio. Daí minha história se espalhou e recebi um telefonema da empresa de um tal de Stephen Covey. Fui até lá e precisei estar diante do homem para perceber que tinha roubado o livro dele. Tive que confessar. "Roubei seu livro na livraria." E ele me disse que era por conta da casa.

Liz Murray tinha apenas 18 anos quando Stephen Covey a convidou a dividir o palco com ele e contar sua história. Aquele dia foi um verdadeiro milagre na vida dela, pois foi assim que começou a dar palestras para contar sua trajetória e inspirar os outros. Liz escreveu seu próprio livro, um best-seller, e dividiu o palco com nomes como Mikhail Gorbachev, Dalai Lama e Tony Blair.

PETER BURWASH
No final de 1968, quando estava no circuito de tênis, fiquei sem dinheiro. Jogava com Issy Sharp, fundador da rede de hotéis Four Seasons, e ele perguntou: "E agora, o que você vai fazer?" Respondi: "Não sei, talvez volte a dar aulas de tênis." "De quanto precisa para seguir na competição?", ele perguntou. "Duas passagens internacionais a 1.800 dólares cada uma. Esses 3.600 dólares me permitirão continuar", falei. No dia seguinte, fui até seu escritório e ele me entregou um cheque de 3.600 dólares. "Boa sorte", disse ele. O gesto mudou minha vida. Foi muito, muito importante para que eu permanecesse no circuito, o que me permitiu obter uma boa colocação no ranking mundial. O resto é história.

MASTIN KIPP
Estava sem ter onde morar, meio acampado no diminuto pavilhão da piscina da casa dos pais da minha ex-namorada. The Daily Love era meu hobby, mas eu acabara de decidir que me dedicaria a ele em tempo integral. Após um mês de

> *tuítes, e-mails, sem fazer outra coisa e lidando com uma insegurança colossal, Kim Kardashian postou no Twitter para seus mais de 2 milhões de seguidores uma sugestão para que seguissem minha conta. Nunca esquecerei aquele momento. De um dia para outro, passei de 1.000 seguidores para 10 mil. Sentia a presença do divino insistindo para que eu seguisse em frente.*

O grande sonho de Layne Beachley era se tornar a melhor surfista do mundo. Para isso, precisava bater o recorde de quatro títulos consecutivos. Layne competia no último evento do ano, na disputa pelo quarto título. A atleta com a maior pontuação acumulada durante diversos eventos do ano ganhava e, ao chegar ao evento final do ano, Layne liderava por pontos e sentia que o quarto título estava a seu alcance.

Layne Beachley

Foi em 2001, o último evento do ano. Eu havia chegado nas quartas de final e tinha tombado na última onda, o que me custou a vitória na bateria e poderia, por consequência, me fazer perder o quarto título consecutivo. Eu me senti como se estivesse decepcionando todo mundo. Estava devastada, pois meu objetivo era empatar e então superar o recorde daquela época, que eram quatro vitórias consecutivas.

Layne precisava de um milagre. Diversas de suas concorrentes tinham agora a oportunidade de superar sua pontuação e ficar com o título mundial, bastando ganhar a competição do dia.

Layne Beachley
Pauline Menczer, campeã de 1993, passou por mim. "Não se preocupe. Está tudo sob controle", disse. Ela queria me ver ganhar aquele título. Pauline entrou na água numa fúria, pronta para ganhar e impedir que qualquer outra conquistasse o título. Ela venceu aquela prova e entregou meu quarto título mundial consecutivo. Ela enxergava muito mal e não tinha recursos para fazer uma cirurgia de correção. Decidi pagar pelo procedimento, como uma forma de agradecimento.

Layne Beachley foi em frente e ganhou seis títulos mundiais consecutivos.

Liz Murray
Quando a história da minha vida foi publicada no The New York Times, *aprendi muito sobre o que é ser um herói. Todas as pessoas da minha comunidade apareceram na minha escola para me ajudar. Eu não as conhecia. Elas traziam brownies caseiros, roupas, presentes para a faculdade e ficaram ali como um bando de anjos. Eu não tinha onde morar. Alugaram-me um apartamento. Construíram camas. Ligaram as luzes. Encheram a geladeira. Cada um era maravilhoso do seu jeito, mas havia uma senhora especial. Ela*

chegou umas três semanas depois do resto do grupo, apertou minha mão diante da escola, se apresentou e me pediu desculpas. Perguntei o motivo e ela falou: "Porque eu li sobre você no The New York Times, *preguei a reportagem na geladeira e todos os dias digo que vou ajudá-la, mas aí penso: 'Ah, não tenho tempo, não tenho dinheiro, não consigo.' Pois bem, querida, esta manhã estava lavando a roupa e de repente pensei: Liz deve ter roupa para lavar." Foi nessa hora que percebi que ela estava diante de uma minivan. Olhou para mim e perguntou: "E aí? Precisa de roupa lavada?" Fomos pegar minhas roupas, e ela passou a lavá-las uma vez por semana. "Não posso fazer muito, mas posso fazer isso", disse ela. E se todos no planeta aprendessem esta lição:* Não posso fazer muito, mas posso fazer isso. *Aprendi que é possível ajudar o outro de pequenas formas, disponíveis neste segundo. Se todos vivêssemos assim, veríamos uma mudança de mentalidade no planeta.*

A PROVAÇÃO SUPREMA

A Provação Suprema

Anastasia Soare

A menos que queira acordar e fazer a mesma coisa dia após dia, é preciso ser um guerreiro. É preciso ser um guerreiro para fazer a diferença, se quiser viver de forma significativa. Eu queria ser significativa. Queria fazer coisas que mudassem minha vida, que mudassem a vida das pessoas. Não consigo ser mediana.

Michael Acton Smith

Foi duro. Foram meses até o negócio deslanchar. Não estávamos ganhando muito dinheiro. Quase ninguém tinha ouvido falar de internet em 1998, então poucos clientes compravam os produtos. Um de nossos amigos fazia uma encomenda todos os meses, sob um nome falso, só para nos dar um pouco de confiança e ânimo para seguir em frente. Chegamos perto de desistir.

Na Jornada do Herói, existe um desafio final que você enfrentará antes de receber a recompensa do sucesso. O tamanho desse desafio é determinado pelo tamanho de seu sonho. O desafio final é chamado de Provação Suprema. Pode parecer a morte de seu sonho, mas superá-la é fazê-lo nascer.

MICHAEL ACTON SMITH
É a Jornada do Herói clássica, não é? Chegar a um beco sem saída, perder toda a esperança e então dar a volta por cima. Seria tedioso se a gente conseguisse tudo de cara, sem ter que lutar ou insistir.

LAYNE BEACHLEY
Você tem que chegar ao fundo do poço e enfrentar os desafios para poder voltar à tona.

Você já deve ter visto a Provação Suprema no cinema. Quando o herói superou todos os obstáculos do caminho e está prestes a resgatar a princesa ou pegar o Santo Graal, há um desafio final que precisa enfrentar para obter o grande prêmio.

MASTIN KIPP
Todos os heróis quase morrem, ou morrem e renascem. E essa ideia, da morte literal psicológica, emocional, espiritual ou física, é aterrorizante para as pessoas. Temos que enfrentá-la como Cristo na cruz, de braços abertos.

"Se eu tivesse realmente obtido êxito em outra coisa, talvez nunca tivesse descoberto a determinação para fazer sucesso na área à qual eu realmente pertencia. Fui libertada porque meu maior medo tinha se concretizado e eu ainda estava viva, ainda tinha uma filha que amava, uma velha máquina de escrever e uma grande ideia. Então o fundo do poço se tornou uma fundação sólida para reconstruir minha vida."

J. K. Rowling

Autora da série Harry Potter

JOHN PAUL DEJORIA

Trabalhei para uma empresa e cuidava de duas áreas ao mesmo tempo. Embora estivesse indo bem, disseram que eu não era o tipo de gerente que queriam e me demitiram. Fui trabalhar para outra empresa. Após um ano, me dispensaram porque não saía com eles nos fins de semana. Na empresa seguinte, tripliquei as vendas e um belo dia o dono me procurou e anunciou: "Sinto muito, mas precisamos demiti-lo porque encontramos alguém que pode fazer seu trabalho pela metade do custo." E assim fundei a John Paul Mitchell Systems. Dois anos depois, percebi uma coisa. Se não tivesse trabalhado para essas três empresas, teria sido quase impossível começar meu próprio negócio, porque cada uma me ensinou uma lição importante. Apesar de ter sido demitido, era como se o Universo estivesse me empurrando, ensinando-me coisas variadas pelo caminho, mesmo que eu não percebesse.

Quando John Paul DeJoria e seu sócio, Paul Mitchell, estavam a ponto de lançar sua linha de produtos de cabelo, um empresário que havia concordado em investir no negócio subitamente retirou todos os fundos. John Paul e o sócio ficaram com compromissos colossais e sem condições de pagar as contas. Não havia como sobreviver os 45 dias seguintes sem receber nada dos clientes. Pareciam condenados. Então John Paul teve uma ideia brilhante: oferecer descontos para pagamentos em dinheiro, na entrega. Quase todos aceitaram a oferta e a John Paul Mitchell Systems se salvou.

LAYNE BEACHLEY

Em 1995, eu estava no segundo lugar do ranking mundial e, pela primeira vez, tinha condições de disputar meu primeiro título. Estava me esforçando muito, e aí, em 1996, comecei a sofrer de fadiga crônica. Fisicamente, parece não haver nada de errado, mas, do ponto de vista mental, emocional e espiritual, eu estava no fundo do poço. Um poço tão profundo que cheguei a ter pensamentos suicidas. Para alguém que ama tanto a vida, foi algo muito desconcertante. Quis desistir, mas ainda tinha um motivo para viver. Escolhi me concentrar no meu amor pelo surfe. Não tinha a força física para praticar o que eu amava, mas tinha a força mental para me preparar para surfar de novo. Assumi o compromisso de ir ao Havaí para competir, apesar de saber que não tinha forças. Pensei comigo mesma: "Vou até lá só para curtir." Ganhei todas as provas no Havaí naquele ano e, no ano seguinte, ganhei o primeiro título mundial. A experiência com a fadiga crônica serviu como uma lição valiosa. Fico feliz por não ter desistido.

Pete Carroll

Durante minha carreira como treinador, fui dispensado algumas vezes. Quando se é dispensado na minha área, todo mundo no esporte fica sabendo. Sai no jornal. É notícia. Não é como ser demitido e ter que enfrentar apenas a esposa. É preciso lidar com todo mundo. É um tremendo desafio. Mas tudo bem, pensei, isso aconteceu, e deve haver algo nessa história que vai me ajudar a ser melhor e mais forte. Foi quando tive a epifania. Eu já tinha trabalhado muito tempo e não me aprofundara o bastante para entrar em contato com o que era realmente importante para mim, para que estivesse presente no meu programa seguinte. Eu estava contra a parede e não sabia se teria outra chance, mas, se acontecesse, estaria pronto. Então surgiu a oportunidade de ir para a Universidade da Carolina do Sul, a USC. Fui para lá com a visão de que faria tudo melhor do que nunca.

Mastin Kipp

E se a vida não nos estiver contrariando nem sendo má quando as coisas dão errado e perdemos o chão? E se esses momentos pudessem ser considerados apenas uma tempestade divina? E se esses momentos acontecem porque

> *estamos nos livrando de tudo que não serve ao nosso maior potencial e ao nosso caminho espiritual, e não como forma de punição? Pelo contrário, para servir a seus melhores interesses? E se sua pior semana ou seu pior dia foram bençãos divinas e, na verdade, aquele foi seu melhor dia?*

Anastasia Soare estava prestes a lançar sua linha de produtos para sobrancelhas quando o principal investidor deu para trás. De repente, faltavam 2 milhões de dólares para o marketing, as vendas e a distribuição de um armazém repleto de produtos, com apenas sete dias para arranjar o dinheiro ou abandonar o sonho. Em vez de desistir, Anastasia aprendeu tudo o que era possível sobre marketing, vendas e distribuição. Graças à sua engenhosidade e perseverança, os produtos de Anastasia deixaram o armazém e se tornaram um grande sucesso nos Estados Unidos e no resto do mundo.

Michael Acton Smith

Lancei a Mind Candy, uma empresa de games, em 2004, e o primeiro jogo era muito criativo, mas foi um desastre comercial. O Moshi Monsters foi nossa cartada final, a última chance de desenvolver um game de sucesso. Nós o fizemos com todo o dinheiro que tínhamos, e assim chegamos ao fim de 2008 praticamente sem nada. Meu instinto berrava que havia magia em andamento, que havia algo de muito especial no produto, mas não conseguíamos encontrar ninguém para investir. Esse período foi o maior obstáculo, na hora mais complicada, porque tínhamos uma equipe que precisava ser paga, e foi por um fio que não declaramos falência e fechamos as portas. Todas aquelas longas noites sombrias, começando às quatro da manhã, rolando de um lado para outro na cama, sem saber como solucionar esses problemas terríveis... Por sorte, encontrei outro investidor-anjo que aplicou algum dinheiro, e logo antes do Natal tínhamos grana para pagar o salário dos funcionários e a conta de luz. No mês seguinte, iniciamos nosso sistema de assinaturas e desde então nosso negócio vem lucrando.

Paul Orfalea
Existe um ditado chinês que diz: "Crises são oportunidades." Essa máxima reconhece que todo fracasso contém as sementes para um recomeço.

Meu sonho era fazer com que a adaptação para o cinema de O Segredo tivesse lançamento simultâneo em todo o mundo. Tinha me convencido de que a única forma de tornar isso possível seria por meio de múltiplas redes de televisão ao redor do planeta, transmitindo-o num período de 24 horas. No começo, quando a ideia de O Segredo acabara de nascer, as redes internacionais tinham demonstrado real interesse no projeto. Porém, quando o filme foi concluído, antes que alguém pudesse vê-lo, elas foram desistindo, uma a uma. Havíamos terminado de rodar o filme, eu tinha uma dívida de 3 milhões de dólares e não encontrava nenhuma forma de fazer o lançamento.

Então ouvimos falar de uma empresa que havia criado uma nova tecnologia que permitia o *streaming* de anúncios na internet. Uma nova possibilidade de lançamento para o filme acabava de surgir! Nossa equipe trabalhou de forma incansável com essa empresa para expandir a tecnologia de forma que sustentasse a exibição de um longa-metragem. *O Segredo* teve seu lançamento via *live streaming* na internet – foi o primeiro filme a ser exibido nesse formato. A tecnologia permitiu que ele fosse visto em todo o planeta num período de 24 horas, exatamente como eu sonhara.

> "É melhor correr o risco de morrer de fome do que se render. Se você desistir de seus sonhos, o que sobra?"
>
> *Jim Carrey*
> Ator

A verdade é que, embora a Provação Suprema possa parecer assustadora, você provavelmente nem vai perceber que está passando por ela. Quando alcançar o desafio final, você estará bem preparado. Chegar a esse ponto significa que você já se deu conta das habilidades poderosas que existem dentro de si e sabe que dispõe de tudo de que precisa para enfrentar – e vencer – a Provação Suprema.

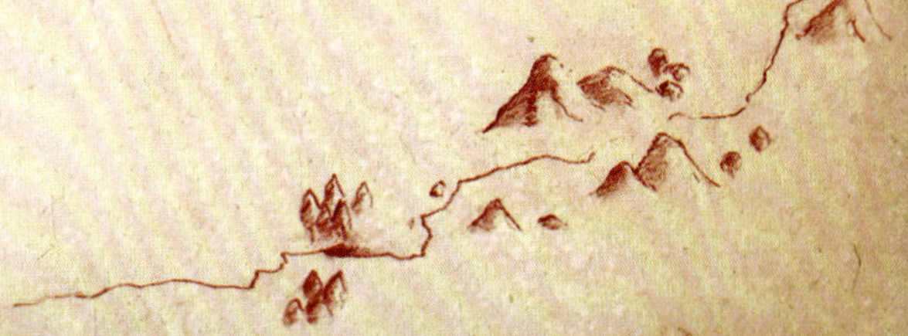

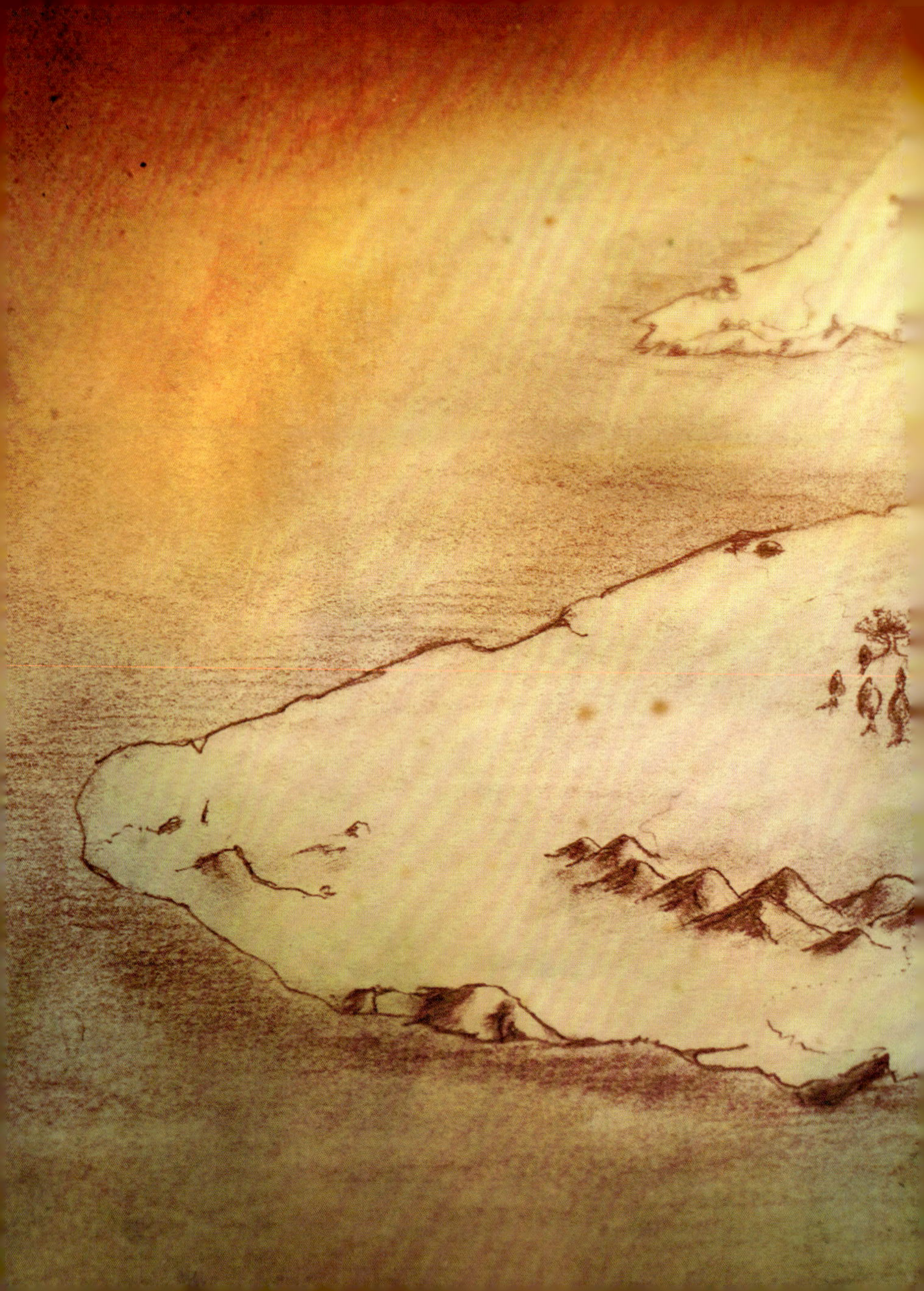

Parte Quatro
A Vitória

A RECOMPENSA

A Recompensa

Você já deve ter visto a felicidade delirante de uma equipe esportiva ao ganhar campeonatos e de atletas que conquistam medalhas de ouro e quebram recordes mundiais. A energia é tão potente que chega a ser contagiosa. Somos tomados pela alegria, e podemos até chorar. No entanto, o que sentimos ao observar tais cenas não se compara ao sentimento do atleta em seu momento de glória. Pois é apenas depois de dar todos os passos da jornada, de enfrentar todos os desafios e de superar todos os obstáculos que você vai saber de verdade a sensação de recompensa suprema de um momento de sucesso.

PETE CARROLL
Uma noite antes do jogo de Oklahoma, em 2005, eu estava conversando com o time. Éramos uma equipe invicta, enfrentando uma equipe invicta, no maior jogo da história do futebol universitário. O que seria digno de dizer

naquela reunião noturna? Entrei e falei que tínhamos feito exatamente o que havia sido proposto. Queríamos realizar o que nunca tinha acontecido antes e ganhamos um monte de jogos seguidos. Agora enfrentaríamos a partida mais importante de todas. Tínhamos compartilhado a visão, tínhamos trabalhado até criá-la e não havia chance de nos vencerem. Mas a lição não era essa. Para nós, a lição era que, ao estabelecer um curso e criar uma visão, você pode conquistar exatamente o que deseja. Entramos em campo e tivemos uma vitória esmagadora.

PETER BURWASH
Tive uma vida realmente maravilhosa. Somos hoje os únicos sobreviventes daquelas 17 empresas que começaram ao mesmo tempo. Já levamos o tênis a 134 países – a visão foi cumprida.

MICHAEL ACTON SMITH
Um dos momentos mais empolgantes da minha carreira foi no início de 2009, quando lançamos o serviço de assinaturas. O produto que criamos era gratuito até então, e passamos a pedir aos pais que tivessem uma despesa de 5 libras por mês. Nossa pequena equipe se reuniu em volta do computador quando entramos no ar, e ficamos ali encarando a tela. Em cinco minutos, recebemos nosso primeiro pedido e ganhamos as primeiras 5 libras. Estávamos nos abraçando e pulando. E antes mesmo que pudéssemos nos recompor, recebemos um segundo pedido, e um terceiro, e um quarto.

Ficamos extasiados ao ver que mães e pais estavam dispostos a pagar por aquele produto ao qual tanto tínhamos nos dedicado, de corpo e alma, doando toda a nossa energia. É uma sensação extraordinária.

LIZ MURRAY
Vivi esse lindo momento quando entrei em Harvard, ganhei uma bolsa e tive a oportunidade de falar para as minhas primeiras plateias. Eu dizia aos meus amigos: "O que está acontecendo parece um filme. Parece um livro." E aí fizeram um filme sobre minha jornada e eu escrevi um livro. Para mim, reforçou a ideia de que existe magia no mundo.

LAYNE BEACHLEY
É incrivelmente compensador poder olhar para trás e dizer: "Eu fiz isso? Não acredito que fiz isso!" Às vezes ainda não consigo me identificar com a pessoa que eu era quando estava ganhando aqueles títulos mundiais. Mas sou grata por tudo. Ter a oportunidade de mudar a vida das pessoas só por ter seguido meu sonho é uma grande realização.

LAIRD HAMILTON
Começar com um sonho tão grande e vê-lo realizado traz alegria ao meu coração. É como num conto de fadas. Todos os desafios, os fracassos, as quedas, as lesões e os corações feridos valeram a pena. Eu não mudaria nenhum instante do tempo que levei para chegar até aqui.

G. M. Rao
A vida me deu mais do que sonhei. Se não tivesse seguido meu sonho, teria tido uma vida comum.

Anastasia Soare
Tenho a melhor das vidas – como num filme. Faço o que amo. Como é abençoada a pessoa que faz o que ama! Aproveitei a jornada e ainda aproveito cada dia como se fosse um novo dia. Chegar ao fim da vida sem arrependimentos é a melhor das sensações.

A recompensa suprema do sucesso de seu sonho não marca o fim da jornada, mas o começo de outra. De repente, recompensas financeiras e incontáveis oportunidades para expandir ou consolidar seu sonho se derramarão por sua vida. O dinheiro, as oportunidades e o sucesso carregam um glorioso senso de liberdade, mas não se comparam à alegria avassaladora e à satisfação de ter *conseguido* – do nada, você criou algo.

Paul Orfalea
Toda manhã me pergunto o que quero fazer com aquele dia. Isso se chama liberdade.

Mastin Kipp
Tenho a liberdade de viajar e a liberdade de criar e projetar minha vida como eu quiser. Sou completamente independente de um lugar específico, posso cuidar dos negócios em Bali, em Maui, na Índia, na África do Sul, em Nova York. Essa

liberdade é tão incrível! Mesmo viajando, ainda posso ganhar dinheiro e cuidar de um negócio. É empolgante. E o mais legal é que posso acordar a hora que quiser. Eu detestava acordar cedo para ir à escola. Era o pior momento.

ANASTASIA SOARE
Quanto maior o sonho, maior o dinheiro, é claro. Qualquer sonho precisa de uma recompensa financeira.

Quando o sucesso chega, é muito provável que você se encontre, talvez pela primeira vez na vida, numa posição em que tem condições de comprar o que sempre quis, de viajar para os lugares que sempre sonhou conhecer e de fazer o que tem vontade. Além disso, tem a oportunidade de compartilhar o sucesso com a família e os amigos, e ajudar a melhorar a vida deles também.

MASTIN KIPP
Há duas coisas extremamente compensadoras: a possibilidade de retribuir e o privilégio de ter os recursos para ajudar outras pessoas. No fim, pude me doar no nível que sempre quis.

LIZ MURRAY
As pessoas que acompanharam minha luta quando eu não tinha onde morar são minha família até hoje. Eu os conheço há 16, 17 anos. E quando tive um pouquinho de dinheiro, fiquei animadíssima, pois era capaz de

possibilitar experiências para todos nós. Começamos com nossas necessidades: fomos todos ao dentista. Alguns dos meus amigos precisavam alugar um apartamento. Cuidamos do aluguel. O pai do meu amigo teve câncer e precisou passar por uma cirurgia. Providenciamos a cirurgia. Pude ter um teto sobre minha cabeça. Senti uma tremenda alegria ao poder cuidar das pessoas que eu amo, contribuir de algum modo para melhorar a vida delas. Essa tem sido uma das experiências mais recompensadoras da minha vida.

Fui criada num lar bastante humilde, mas, embora não tivéssemos muito dinheiro, tínhamos uns aos outros. Tive muita sorte em ser criada num ambiente de segurança e estabilidade, cercada pelo amor da minha família. Meus pais deram duro a vida toda, mas nunca juntaram muito dinheiro. Quando meu pai morreu, minha mãe, além de perder o amor de sua vida, ficou com pouquíssimo dinheiro e sem uma fonte de renda. Meu pai morreu antes do sucesso de *O Segredo*, portanto não viu o sonho se concretizar. Minha mãe, sim. Ela passou a vida inteira com poucos recursos, e, depois de *O Segredo*, tudo mudou.

Eu me lembro de um dia em especial, quando minha mãe me ligou chorando. Ela tinha entrado numa loja e comprado várias roupas. E estava em prantos porque pela primeira vez na vida as comprava sem antes perguntar o preço.

Se você teve a sorte de ter pais que dedicaram a vida ao seu crescimento e bem-estar, você compreenderá como me senti naquele dia. Nada que eu pudesse dar à minha mãe serial igual ao que ela me deu naquele dia.

Peter Foyo

Algumas pessoas perguntam: "Por que você ainda trabalha?" E eu respondo: "Porque estou fazendo a diferença, e gostaria de continuar a fazê-la enquanto ainda estou aqui."

Trabalhar por Pura Alegria

Não há melhor sensação no mundo do que ter encontrado seu sonho e vivê-lo. Trabalhar por pura alegria, acordar e estar realmente empolgado porque é segunda-feira, amar tanto o que se faz que a ideia de tirar longas férias parece entediante – isso é viver!

Peter Burwash

No final na década de 1970, início dos anos 1980, eu morava no Havaí. Às seis da manhã, eu estava no elevador, tinha uma aula de tênis às seis e meia, olhei ao redor e pensei: "Coitadas das pessoas que precisam acordar para trabalhar a essa hora." Para mim, nunca parecia que eu estava saindo para trabalhar.

John Paul DeJoria

Amo o que eu faço. Não vejo a hora de ir para o escritório. Espero com ansiedade a hora de rever meus colegas de trabalho. Escolhi esse estilo de vida e acho ótimo.

Pete Carroll

Adoraria fazer o que faço hoje, ganhando dinheiro ou não. É interessante que a maior parte dos nossos jogadores diz o mesmo. É maravilhoso que sejamos profissionais e que nos paguem bem para fazer o que fazemos, mas é o que faríamos de qualquer jeito. Você tem sorte por ter a oportunidade de se sentir assim.

Michael Acton Smith

Muita gente diz: "Se eu ganhasse dinheiro, se eu fosse bem-sucedido nos negócios, eu me aposentaria aos 30 anos." E isso raramente acontece, porque as pessoas que têm essa determinação, o sonho grande e a visão para construir algo incrível não são do tipo que jogam tudo para o alto e se aposentam.

Ofereceram-me muito dinheiro para vender o filme *O Segredo* e, na época, eu estava com uma dívida colossal, sem nenhuma forma em vista de fazer o lançamento mundial. Mas vender meu sonho era algo inconcebível. Seria como vender minha maior alegria, minha razão de viver, e não há dinheiro no mundo que compre isso.

Michael Acton Smith

Tive oportunidades de vender minha empresa por quantias muito significativas – centenas de milhões de dólares –, mas não quero velejar no crepúsculo e tomar drinques num iate. Eu amo o que faço. Quero continuar construindo, criando coisas e trabalhando com pessoas extraordinárias. É o que me faz sair da cama todas as manhãs.

Experimentar as recompensas da realização de um sonho é glorioso, e cada um que realiza seu sonho merece tudo isso. É provável que você também se sinta muito empolgado e entusiasmado para continuar a trabalhar no seu sucesso e levá-lo ainda mais longe, sabendo, agora, que possui as qualidades e as habilidades internas para conquistar tudo que puder imaginar. Mas esse não é o fim da sua história. Não é o fim dessa jornada. Ainda há mais um passo vital a ser tomado para concluir a Jornada do Herói, e é esse que promove a transformação – do ser humano a herói.

UMA VIDA DIGNA DE SER VIVIDA

Uma Vida Digna de Ser Vivida

PETER BURWASH
Nosso corpo tem limites em relação ao que podemos fazer para satisfazê-lo. Existe um limite para a quantidade de comida que podemos consumir por vez. Existe um limite para o que podemos beber. No entanto, a capacidade de servir aos outros é ilimitada. As pessoas mais felizes do mundo são aquelas que fazem coisas pelos outros.

Algo de colossal acontece com você durante a Jornada do Herói. Você passa por uma transformação e, graças a ela, é levado a dar mais um passo. É o último passo. Ao realizá-lo, você se transforma num herói de verdade e a Jornada do Herói é concluída.

O fogo da paixão que levava você a concretizar seu sonho se transforma em um fogo de compaixão. Você volta para casa, por assim dizer, com o objetivo de ajudar os menos favorecidos, que são como você costumava ser. Você conhece o sofrimento deles. Conhece a sensação de desespero, porque a experimentou. E recebe a convocação mais poderosa para fazer tudo o que puder, para usar todos os meios disponíveis para ajudar e inspirar o maior de número de vidas com tudo que acumulou em sua jornada.

MASTIN KIPP

Existem dois lugares onde o herói empaca. O primeiro é quando vem o chamado para a aventura. Todo herói passa por uma fase de recusa. Todo mundo sabe disso. O que não se sabe tão bem é a recusa do retorno, que ocorre quando o herói conquistou seu prêmio e está tão feliz, tão alegre, que não quer partir. Mas a jornada não se conclui até que você tome o elixir da vida e o leve até sua terra natal para compartilhar com os outros. O que transforma alguém em herói é o fato de que a jornada não é egoísta. Um herói é alguém que transformou sua vida em algo maior do que si mesmo.

"Quando paramos de pensar primariamente em nós mesmos e em nossa autopreservação, passamos por uma transformação de consciência verdadeiramente heroica."

Joseph Campbell

Mitólogo

Com todo o sucesso e todas as recompensas obtidas, o herói interior emerge quando uma visão maior do que si mesmo toma conta de seu coração. Você se sente compelido a compartilhar o que foi chamado de "o mágico elixir da vida" – tudo o que aprendeu na jornada – para promover mudanças na vida do maior número possível de pessoas.

Peter Burwash
Laurance Rockfeller disse que você saberá que amadureceu quando compreender que o mais alto posto que pode obter é o de servidor. A pessoa que se sente confortável com essa ideia realmente terá uma vida bem-sucedida. E a chave para ser capaz de servir a todos é ser muito, muito humilde. É a joia da coroa. É a conquista final. É a mais importante lição de todas.

Liz Murray
Eu me sinto mais viva quando sou capaz de usar minha experiência para melhorar, de algum modo, a vida de outra pessoa.

G. M. Rao
A sociedade me deu tudo o que tenho hoje, e sinto que é minha responsabilidade retribuir com gratidão e praticar a responsabilidade social como um valor.

Ao concluir a Jornada do Herói, você sabe que, sem o apoio daqueles que o ajudaram, não teria sido possível realizar seus sonhos. Com a mais profunda gratidão por tudo que recebeu e a mais profunda compaixão pelas pessoas que ainda lutam, você vai querer retribuir e fazer a diferença na vida dos outros. O fogo da compaixão é tão grande que não importa o que você fizer, não importa quanto se doar, ainda vai querer fazer muito mais.

Peter Burwash
Para mim, qual a importância de contribuir e fazer algo que importa? É toda a minha existência. É a razão que tenho para acordar pela manhã. É o que me permite deitar a cabeça no travesseiro à noite e sentir uma grande satisfação.

Michael Acton Smith
Se você tiver muito dinheiro e ele estiver apenas guardado no banco, sem servir de nada, isso me parece um desperdício de potencial. Você deve empregá-lo para sair por aí fazendo coisas. É bom ajudar pessoas, vê-las realizar seus sonhos e ser mais felizes.

Peter Foyo
Não há nada mais gratificante do que aquele momento em que estou no escritório cercado pelas pessoas da minha equipe e vejo seus filhos correndo pela empresa. Ver que a criança está feliz, saudável, que frequenta uma boa escola... saber que existe alguém de quem você cuida diretamente por causa de uma ideia que teve certo dia.

Paul Orfalea
Não estou trabalhando feito um louco para que meus filhos possam morar numa mansão elegante. Ele vão receber o suficiente, não mais que isso. O dinheiro vai todo para a caridade e vou doar tudo ainda em vida.

G. M. Rao
Fui afortunado porque o Universo me deu a oportunidade de servir a sociedade. De minha parte, destinei todas as minhas participações à fundação que criamos.

O último passo na Jornada do Herói não é apenas preencher um cheque e fazer caridade. É encontrar um modo de doar seu tempo, sua energia e sua paixão para alguma área que faz seu coração vibrar. É encontrar determinadas pessoas que estão em situação de desvantagem semelhante à sua no passado, ou encontrar pessoas a quem faltam os recursos para realizar o mesmo que você. Com todas as suas novas habilidades, você está pronto para aprimorar outras vidas de todas as formas possíveis e a fornecer oportunidades para que outros também sigam seus sonhos.

Anastasia Soare
Fui para a África do Sul quando a Oprah abriu uma escola para meninas lá. Nunca a vi tão transformada, tão feliz. Sua energia era inacreditável, pois estava promovendo uma mudança na vida daquelas meninas. Retribuir é a experiência mais satisfatória que existe.

Pessoas bem-sucedidas sabem que não basta dar dinheiro para ajudar, e aquelas que concluíram a jornada são muito diligentes e querem assegurar que o dinheiro esteja aplicado de forma a fornecer os meios e as oportunidades para que outros possam mudar as próprias vidas.

John Paul DeJoria
Neste momento, meu maior sonho é pegar um país inteiro e ajudá-lo a se desenvolver e prosperar de maneira ecologicamente sustentável.

Essas pessoas escolhem dar dinheiro para fornecer o essencial à sobrevivência, como água potável, ou usam seus recursos para dar os meios e as oportunidades para que as pessoas levem uma vida de realizações. É como o velho ditado: não se limitar a dar o peixe, mas ensinar a pescar. É o princípio que o guiará na hora de dispor de seu dinheiro, de seu tempo e de qualquer outra coisa que tenha para doar.

Pete Carroll
Existem milhões de causas mundo afora e eu queria ser capaz de ajudar a todas, mas a A Better LA [Por uma Los Angeles Melhor] estabeleceu uma relação direta com o lugar onde estamos, bem aqui em Los Angeles. Tinha tudo a ver com a área em que trabalhávamos. Lidamos com gente de forma individualizada e tentamos ajudar as pessoas a encontrar esperança e a perceber que podem criar as próprias visões, podem assumir o controle e o comando do mundo

onde vivem. Por sorte, tivemos condições de ajudar a salvar algumas famílias e algumas crianças. Tenho muito orgulho desse vínculo. Gostaria de poder dar mais e fazer mais.

Inspiração, coragem e esperança também são coisas que você pode proporcionar a outras pessoas todos os dias, e essas coisas podem, frequentemente, fazer mais por elas do que qualquer quantia de dinheiro que você poderia doar.

MICHAEL ACTON SMITH
Uma das coisas que adoro no momento é inspirar crianças em idade escolar. Elas talvez nem saibam o que é ser um empreendedor, mas, se eu conversar com elas e inspirá-las, algumas sairão e criarão o próprio negócio e terão uma vida feliz e gratificante.

A partir do momento em que a The Secret Company recebeu sua primeira renda, muito antes de ter lucros, uma porcentagem substancial foi destinada a organizações sem fins lucrativos em todo o mundo, cujo trabalho ajuda a empoderar seres humanos para que levem vidas mais compensadoras.

PETER BURWASH
Começamos um programa de tênis em cadeira de rodas, que agora existe no mundo inteiro. Por 38 anos, demos aulas gratuitas para cada jogador cadeirante. Fomos capazes de proporcionar muita alegria e felicidade às pessoas por meio do esporte.

Não importa em que ponto você se encontre na Jornada do Herói ou mesmo se ainda não embarcou nela. É possível doar neste exato momento. Quando alguém precisa da sua ajuda, faça o que puder para ajudar. E há uma importante orientação para saber quando ajudar ou não. Não faça nada que o indivíduo possa fazer por si próprio com facilidade. Nesse caso, você não estará ajudando, estará desqualificando-o. Existe uma linha muito tênue entre ajudar e desqualificar. Portanto, ajude em coisas que a pessoa não poderia fazer sozinha. Inspire-as, ajude-as a conquistar confiança, dê oportunidades para que possam modificar sua atual situação. Ao fazer isso, você as empodera, e não há nada mais importante que se possa fazer do que empoderar outro ser humano com o que é necessário para ter uma vida realizada.

Mastin Kipp
Não importa como, há oportunidades ilimitadas de doar. Não importa se existe uma recessão, ainda existem oportunidades abundantes. E quando você aprende isso, é aí que a abundância chega.

Liz Murray
Às vezes as pessoas pensam que precisam escrever um livro ou falar diante de uma multidão. É possível prestar serviço em pequenas coisas que acabam tendo um imenso significado.

Peter Foyo

Você pode dar seu tempo ou seus recursos para as pessoas. Só podemos enriquecer nossa existência quanto mais ajudamos os outros.

"Se o que você faz ajudar uma só pessoa, você já fez algo maravilhoso."

Blake Mycoskie
Fundador da TOMS Shoes

John Paul DeJoria

Quando tínhamos 6 anos, minha mãe levou meu irmão e eu ao centro de Los Angeles na época do Natal. Enquanto estávamos lá, ela nos deu 10 centavos e pediu que deixássemos a moedinha dentro do balde ao lado de um homem que badalava um sino. Obedecemos, depois perguntamos para ela: "Por que demos a moedinha para aquele homem?" Naquela época, tínhamos pouquíssimo dinheiro, e com 10 centavos dava para comprar dois refrigerantes grandes e talvez três doces. "É o Exército da Salvação", respondeu minha mãe. "Eles tomam conta de pessoas sem-teto. Lembrem-se disto, meninos: enquanto viverem, não importa o pouco que tiverem, sempre haverá alguém com menos. Tentem sempre fazer alguma coisa, por menor que seja." Aquilo me ensinou a retribuir independentemente do que se tem. E acredito que isso é uma parte do caminho para o sucesso. Um sucesso não compartilhado é um fracasso.

Quando você retribui da forma que pode, não importa se a contribuição é grande ou pequena, a felicidade que sente ao saber que ajudou outro ser humano nunca o deixará. Aliás, a alegria e a felicidade são tamanhas que você pode até se perguntar se o verdadeiro motivo para seguir seu sonho não seria exatamente chegar até aqui para dar esse passo final da Jornada do Herói, deixando-se envolver por uma visão maior do que a sua.

Liz Murray
Quando pergunto para alguém sobre seus sonhos, no fim das contas é sempre a mesma coisa: "Quero ajudar a melhorar a vida das pessoas." É um desejo que temos dentro de nós e que acho que nasce com a gente. Portanto, é parte integrante de realizar nosso destino por aqui.

Laird Hamilton
Gostaria apenas de descobrir como fazer uma diferença maior, e, enquanto sigo nessa direção, talvez perceba, no final, que meu objetivo era muito mais fazer essa diferença do que qualquer outra coisa.

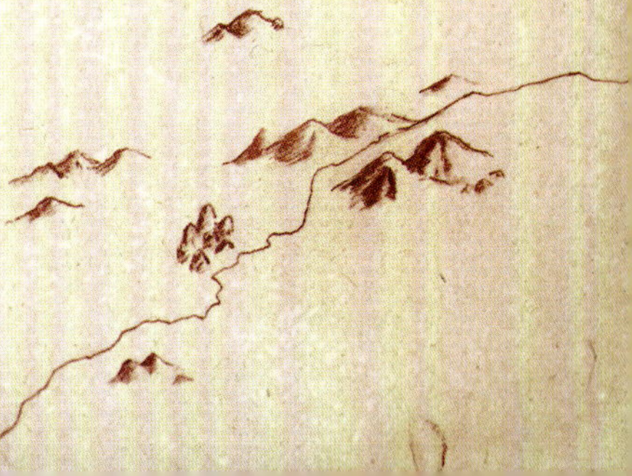

O HERÓI EM VOCÊ

O Herói em Você

Depois de dar o último passo na Jornada do Herói, você se torna um ser humano integral e sagrado – um verdadeiro herói. Sua mente e sua consciência, que ficaram tão limitadas quando você veio para o planeta Terra, passaram por uma transformação. Se antes as circunstâncias pareciam não ter nenhuma razão de ser, hoje você consegue enxergar com clareza que a vida funciona de formas precisas e compreensíveis. Através da compaixão, sua mente se une ao Universo, que é para todos. À medida que sua compaixão se aprofunda, a confusão, o sofrimento e o medo começam a desaparecer e dão lugar a uma inteligência e a um conhecimento muito distantes daquele que se adquire nos livros ou nas universidades. Você se lembra de tudo o que você é. Você vê a todos como uma única família na Terra e se sente preenchido por uma completa paz e uma absoluta alegria de viver. Essa é sua história. Esse é seu destino.

Eu conheço o potencial que existe em você. Sei das virtudes e dos poderes heroicos que estão aí dentro. Essa é sua história, mas só você pode vivenciá-la. É sua Jornada do Herói, mas só você pode realizá-la. Agora, você tem o mapa e a bússola. E tem todos nós ao seu lado, a cada passo do caminho.

Peter Foyo
É possível levar uma existência mais feliz, mais cheia de realizações. Está tudo dentro de você, não importam as circunstâncias em que se encontre neste momento.

Layne Beachley
Eu acredito em você, mas de nada adianta se você não acreditar. Acredite em si mesmo e faça tudo o que puder para chegar aonde deseja na vida.

Pete Carroll
Cada um de nós tem o poder. Tantas vezes permitimos que o poder vá para as pessoas que nos cercam e que têm opiniões, ou olhamos o lugar de onde viemos, nosso passado, e não damos o devido crédito ao nosso poder de criar o que desejamos. Essa é a mensagem mais importante que eu poderia transmitir a qualquer pessoa.

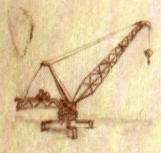

G. M. Rao
Acredite em seus sonhos e nunca desista. Seja persistente, mantenha a fé, e eles se realizarão. Todas as jornadas

começam com um sonho, e sua fé integral e sua crença nesse sonho abrirão os caminhos.

John Paul DeJoria
A grande diferença entre as pessoas bem-sucedidas e as malsucedidas é que as primeiras não esperam nada. Saia agora e faça o que tiver que fazer. Se não obtiver sucesso, continue tentando até conseguir. Todo mundo tem esse poder – você tem esse poder.

Liz Murray
No final, o que fazemos dessa vida é uma questão de interpretação. É a história que contamos sobre quem somos e sobre por que estamos aqui que determina a qualidade da nossa experiência. A boa notícia é que você pode mudar essa história a qualquer momento, pois você é e sempre será o único autor da sua vida.

Peter Foyo
O que eu posso fazer? Quanto terei que berrar para todo mundo ouvir que você é um herói? Cada ser humano é um herói. Você pode ser um herói em seu próprio mundo.

A cada passo dado, com tudo o que procura alcançar na vida, a cada sonho que deseja realizar, você busca a felicidade eterna. E continuará a buscá-la em todas as colinas e em todas as campinas, até que, ao final da Jornada do Herói, você descobrirá que a eterna felicidade que vinha procurando é a descoberta de quem você realmente é.

Essa é a conclusão da Jornada do Herói para cada um no planeta Terra. Só você pode realizar a maior das jornadas de descoberta. Só você pode descobrir a verdade sobre quem realmente é. Só você pode descobrir o herói que existe dentro de si. Até lá, cada dia da sua vida, por toda a eternidade, o herói que existe dentro de você continuará a chamá-lo.

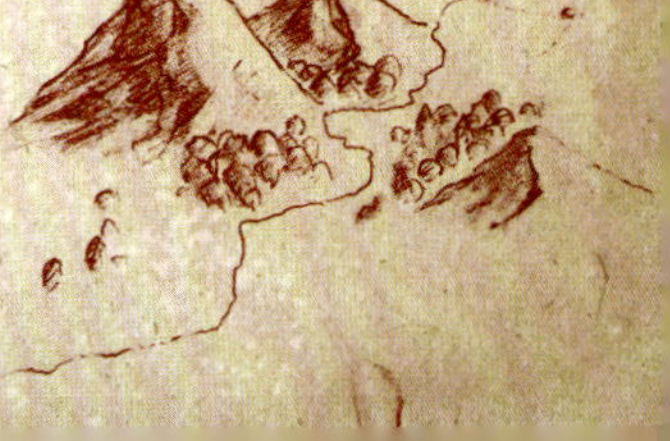

A MENTE DE UM HERÓI

A RECOMP...

VISÃO

FÉ

O CORAÇÃO DE UM HERÓI

OPOSITORES E...

SIGA SUA FELICIDADE

UMA VIDA DIGNA DE SER VIVIDA

O HERÓI EM VOCÊ

A ESTRADA DAS PROVAÇÕES E DOS MILAGRES

COMPROMISSO

PROVAÇÃO SUPREMA
EM BUSCA DO SONHO

O CHAMADO DA AVENTURA

O CAMINHO DO HERÓI

A RECUSA DO CHAMADO

Pessoas Retratadas em Herói

Com o lucro obtido nas vendas deste livro, a The Secret Company tem a honra de contribuir com as seguintes fundações e organizações filantrópicas dos colaboradores de *Herói*.

Michael Acton Smith

www.mindcandy.com

Michael Acton Smith é CEO e diretor de criação da Mind Candy, empresa de entretenimento infantil que está por trás do fenômeno global Moshi Monsters. Trata-se de um jogo on-line e um mundo virtual que inclui brinquedos, cartas, revistas, um livro e um filme. Michael continua a comandar a Mind Candy com a visão de construir a maior empresa de entretenimento para a geração digital.

The Moshi Foundation

Michael criou a **Moshi Foundation** para dar assistência a crianças e jovens do mundo inteiro. Até hoje, os recursos foram destinados a apoiar iniciativas relacionadas com educação, saúde e assistência social, para amenizar problemas financeiros e fazer o acompanhamento com terapia e educação para crianças com necessidades especiais.

Layne Beachley
www.laynebeachley.com

Layne Beachley é a mais bem-sucedida surfista competitiva da história na categoria feminina e ganhadora de sete títulos mundiais, um recorde. Atualmente, é vice-presidente da International Surfing Association e membro do comitê da Surfing Autralia e do Sport Australia Hall of Fame. Layne continua a surfar todos os dias, ocasionalmente compete em eventos profissionais e também dá palestras motivacionais.

Layne Beachley Aim for the Stars Foundation
www.aimforthestars.com.au

Layne criou a **Layne Beachley Aim for the Stars Foundation** com o objetivo de fornecer apoio financeiro e encorajamento para que jovens meninas realizem seus sonhos. O programa é aberto em toda a Austrália para garotas dedicadas que atuam no esporte, na vida acadêmica, em comunidades ou em projetos culturais. Layne deseja ajudá-las a conquistar a grandeza.

Peter Burwash
www.peterburwash.com

Ex-jogador profissional de tênis, Peter Burwash é um dos mais reverenciados treinadores do esporte de todos os tempos. É fundador e presidente da maior empresa de administração de tênis do mundo, a Peter Burwash International, que organiza programas de treinamento e mentoria em 32 países. Peter também é um autor renomado e é muito requisitado para palestras motivacionais.

Care for Vrindavan
www.fflv.org

Como resultado de suas viagens internacionais, Peter passou a apoiar a organização **Care for Vrindavan**, sediada nos Estados Unidos, que arrecada fundos para a empobrecida região de Vrindavan, na Índia. São supridas as necessidades básicas das comunidades locais, permitindo que construam um futuro com base em seus próprios recursos. A instituição atua especificamente na educação de meninas indianas, que de outra forma seriam negligenciadas, para que elas alcancem todo o seu potencial.

PETE CARROLL
www.petecarroll.com

Pete Carroll é treinador de futebol americano e vencedor de dois campeonatos nacionais, além de diversos outros títulos. No momento, Pete é o treinador principal e vice-presidente executivo dos Seattle Seahawks, e por seu trabalho com o time ele recebeu recentemente o prêmio de Treinador do Ano da NFC.

A BETTER LA E A BETTER SEATTLE
www.abetterla.org

Pete é reconhecido por seu trabalho filantrópico, sobretudo por seus esforços para reduzir a violência das gangues em Los Angeles e Seattle. Criou **A Better LA** e **A Better Seattle** com o objetivo de dar recursos aos indivíduos para que formem comunidades mais seguras e mais fortes. Essas organizações fazem parcerias com entidades locais para oferecer às famílias e aos jovens ferramentas, mentoria e apoio para se desenvolver.

John Paul DeJoria
www.paulmitchell.com

O empreendedor John Paul DeJoria é um dos fundadores da John Paul Mitchell Systems, criador de produtos para o cuidado dos cabelos e de escolas de beleza. DeJoria é o CEO da empresa, cujo valor já passa de 1 bilhão de dólares. Em 1989, foi cofundador da Patrón Spirits Company, da qual é hoje sócio majoritário. John Paul é apaixonado por questões ambientais, diplomacia internacional e filantropia.

JP's Peace, Love & Happiness Foundation
www.peacelovehappinessfoundation.org

Depois de passar parte da infância em lares temporários e de não ter moradia por alguns períodos da vida adulta, John Paul dedicou recursos substanciais para a **JP's Peace, Love & Happiness Foundation**. A organização apoia a sustentabilidade ambiental, a responsabilidade social e a proteção aos animais e tem como objetivo capacitar indivíduos em programas de jardinagem e agricultura, que os ajudam a alimentar suas famílias e a abrir o próprio negócio.

Peter Foyo
https://peterfoyo.wordpress.com

Executivo e especialista da área de telecomunicações internacionais, Peter é considerado um dos melhores e mais inovadores CEOs de toda a América Latina. Participa do conselho de administração de diversas empresas e continua a comandar 17 mil funcionários como presidente da Nextel Comunicações do México.

Nextel Foundation

Em seu trabalho como CEO, Peter construiu uma admirável cultura de responsabilidade social corporativa e de filantropia. A **Nextel Foundation** oferece apoio para os setores mais vulneráveis da sociedade por meio da educação. A fundação apoia estudantes com bolsas e programas para jovens, para os menos privilegiados e portadores de deficiências, e também financiando pesquisa científica e educação superior.

Laird Hamilton
www.lairdhamilton.com

Laird Hamilton é surfista de ondas grandes de reputação mundial, pioneiro do surfe com o apoio de jet-skis, *stand-up paddle* e *hydrofoil*. Laird continua a dividir seu tempo entre as ondas grandes e o desenvolvimento de novas modalidades de surfe. Além disso, está envolvido com causas que falam a seu coração.

Raincatcher
www.raincatcher.org/laird

Laird e Gabrielle Reece, sua esposa, foram designados recentemente para o conselho diretor da **RainCatcher**, organização sem fins lucrativos estabelecida para amenizar a crise global de falta de água. A RainCatcher contribuiu com 700 mil pessoas em todo o mundo com seu sistema de coleta de água da chuva. A organização tem como objetivo fornecer água potável para mais 10 milhões de pessoas.

Mastin Kipp
www.thedailylove.com

Mastin Kipp é empreendedor, escritor e blogueiro que usa as mídias sociais para transmitir mensagens inspiradoras. Fundou o *Daily Love* (Amor diário), publicação que conta com site, newsletter e conta de Twitter e alcança 600 mil assinantes por dia e tem seu conteúdo distribuído pelo *Huffington Post*. Mastin fez aparições no programa *Oprah's Lifeclass* e já foi apresentado por Oprah Winfrey no *Super Soul Sunday* como um pensador espiritual da nova geração.

Anthony Robbins Foundation
www.thetonyrobbinsfoundation.org

Mastin atribui sua transformação à ajuda das lições de vida do *coach* Anthony Robbins e, em gratidão, tem dado seu apoio à **Anthony Robbins Foundation**. Essa organização sem fins lucrativos conduz programas projetados para auxiliar e enriquecer a vida daqueles que costumam ser esquecidos pela sociedade: idosos, sem-teto e detentos.

Liz Murray

https://thearthurproject.org

Liz Murray é autora best-seller e uma das mais requisitadas palestrantes motivacionais do mundo, famosa por sua incrível jornada das ruas de Nova York até a Universidade Harvard. Já dividiu o palco com personalidades como Mikhail Gorbachev, Dalai Lama e Tony Blair. Foi homenageada na Casa Branca, bem como por Oprah Winfrey, por seu inspirador trabalho de apoio aos jovens.

Momentum Teens For Leadership

Como modelo para adolescentes, Liz apoia orgulhosamente a **Momentum Teens for Leadership**, uma organização sem fins lucrativos com o objetivo de encorajar, empoderar e desenvolver a capacidade de liderança entre os jovens. A Momentum Teens promove oficinas e programas que fornecem ferramentas e experiências para ajudar os adolescentes a se tornarem colaboradores responsáveis e confiantes de sua comunidade e do mundo.

Paul Orfalea
www.paulorfalea.com

Paul é fundador da Kinko's, maior rede de fornecimento de material de escritório e de serviços para negócios. Após deixar a empresa, divide seu tempo entre a transmissão de conhecimento como professor universitário e suas diversas iniciativas filantrópicas.

Orfalea Foundation
www.orfaleafoundation.org

Sob a liderança de Paul, a **Orfalea Foundation** busca capacitar as pessoas a descobrir seus pontos fortes. Isso acontece com o apoio a programas que incluem uma inovadora educação infantil, ensino médio para alunos motivados, milhares de bolsas de estudo para o ensino superior e investimento substancial em programas universitários. Paul também se dedica a apoiar pais solteiros e garantir uma alimentação saudável para as crianças nas escolas.

G. M. Rao
https://gmrvf.gmrgroup.in

G. M. Rao é fundador e presidente do GMR Group, uma corporação global de energia e desenvolvimento de infraestrutura sediada em Bangalore, na Índia. Empreendedor visionário, Rao tem dirigido os negócios para o desenvolvimento urbano e a criação de bens nacionais, como usinas de energia, estradas e aeroportos.

GMR Varalakshmi Foundation
https://gmrvf.gmrgroup.in

Rao é um grande defensor da responsabilidade social corporativa e estabeleceu a **GMR Varalakshmi Foundation** para cuidar da falta de infraestrutura mínima e da abjeta pobreza em comunidades na Índia. A fundação procura tornar a educação de qualidade acessível a todos, além de investir na saúde por meio da construção de hospitais, clínicas médicas e ambulâncias. Oportunidades para trabalho autônomo são criadas por meio de institutos de treinamento e programas de empreendedorismo voltados para os jovens.

Anastasia Soare

www.anastasiabeverlyhills.com

Anastasia Soare é considerada a maior especialista em sobrancelhas do mundo e se tornou um ícone da indústria de beleza. Devido ao seu método singular, Anastasia construiu uma clientela invejável, composta pelos nomes mais badalados de Hollywood, e tem salões em Beverly Hills e Brentwood. Em lojas de departamento mundo afora também são encontrados os serviços de design de sobrancelhas de Anastasia. Ela desenvolveu e lançou pessoalmente uma linha de produtos para sobrancelhas e de maquiagem.

Anastasia Brighter Horizon Foundation

Por meio da **Anastasia Brighter Horizon Foundation**, jovens adultos egressos de lares temporários recebem bolsas de estudo para seguir carreira no setor de estética e de cuidados com a pele. Os fundos e o apoio são fornecidos para cursos em escolas de beleza, bolsas, estágios e colocação profissional. O objetivo é criar autossuficiência e uma fundação para o futuro.

Leituras Adicionais dos Colaboradores

Layne Beachley
Beneath the Waves (Sob as ondas)
Testemunho de Layne Beachley sobre a importância de acreditar em si mesmo.

Peter Burwash
Becoming the Master of Your D-A-S-H (Tornando-se o dono do seu ímpeto)
Histórias pessoais, aprendizados e conselhos de pessoas esclarecidas, do passado e do presente, que fornecem orientações fundamentais para aprimorar nossa jornada pela vida.

Dear Teenager (Querido adolescente)
Peter Burwash fornece a adolescentes orientações valiosas sobre o crescimento saudável e o desenvolvimento físico, mental e espiritual.

Laird Hamilton
Force of Nature: Mind, Body, Soul, And, of Course, Surfing (Força da natureza: Mente, corpo e, é claro, surfe)
Laird Hamilton apresenta a filosofia singular que empregou para se tornar um dos maiores surfistas de ondas grandes do mundo.

Mastin Kipp
Daily Love (Amor diário)

Liz Murray
Varando a noite: Da rua para Harvard – minha história de superação e sobrevivência
A história inspiradora de Liz Murray, das ruas de Nova York até a formatura na Universidade Harvard.

Paul Orfalea
Copy This!: Lessons from a Hyperactive Dyslexic who Turned a Bright Idea into One of America's Best Companies (Copie isto!: Lições de um disléxico hiperativo que transformou uma grande ideia em uma das maiores empresas dos Estados Unidos)
A história de Paul Orfalea, desde a infância, quando mal conseguia ler e escrever, até a criação da Kinko's e a construção de um império de 1,5 bilhão de dólares.
© The Orfalea Family Foundation 2005

www.thesecret.tv